문학의 극한

문학의 극한

소종민
지음

청색종이

근대인은 극한조건을 만들어 스스로 파멸에 직면했다. 20세기는 타자(他者)를 궁지로 몰아넣는 행위와 사념을 선양하고 고무하며 세상을 파괴한 때다. 극한(極限)은 '도달할 수 있는 최후의 단계' 또는 '사물의 끝 닿은 데'를 이르는 말이다. 인간의 극한은 무엇일까? 인간의 극한은 ……다. 말이 줄어들 수밖에 없다. 그 극한들이 복잡하게 떠올라 마음은 빛을 잃고 입을 열 수 없다. 극한의 사례들 앞에 우리는 말을 잃는다. '문학의 극한조건'을 탐색하는 건 이러한 극한에서도 문학은 어떻게 싹을 틔우는지 더듬어 찾는 행위다. 극한조건 하에서의 극한상황에 처한 인간은 목숨을 잃거나 생존한다. 그러므로 극한의 문학은 생환의 문학이고, 목격의 문학·증언의 문학이다. 나아가 죽은 이에게 빙의(憑依)된 문학이고, 저승의 언어를 이승의 언어로 옮기는 번역(飜譯) 문학이다. 삶의 극한지점에 죽음의 경계선이 있기 때문이다.

파울 첼란은 아우슈비츠에서 어머니를 잃었다. 자신은 극적으로 살아 돌아왔으나 센강에 투신하기까지 첼란은 줄곧 죄책감과 우울증에 시달렸다. 첼란의 시는 실어증(失語症) 환자의 말 같다고도 하지만, 실은 샤먼의 넋두리일 것이다. 이승과 저승의 경계에 선 첼란의 언어가 극한의 경험자들에겐 분명 낯설지 않으리라. 아도르노는 『부정 변증법』에서 "끊임없는 고통은 표현의 권리를" 지니며, "따라서 아우슈비츠 이후에는 시를 쓸 수 없으리라고 한 말은 잘못"*이라고 했다. 여기서 '시'는 일반 서정시로 분류할 수 없는 생환(生還)의 문학, 즉 극한의 문학임을 상기해야 할 것이다. 생각건대, 극한의 문학에는 연민이 가득하다. 원한에 차 있어 보이는 극한의 문학도 그 뿌리는 눈물로 젖어 있다. 그건 감상(感傷)이 아니라 비애(悲哀)의 눈물이다. 인간 조건의 추락을 슬퍼하는 눈물이다. 비인간과 인간의 경계, 그것이 극한이다. 그 극한에서 인간을 잃지 않으려는 안간힘을 극한의 문학에서 본다.

'정복·지배체제의 출현'이라는 극한조건이, '민족집단의 강제이주'라는 극한상황을 만들었다. 이산(離散)을 뜻하는 디아스포라는 그렇게 시작된다. 「디아스포라, 문학에 관한 물음」에서는 아프리카계 미국인의 흑인영가를 비롯하여, 팔레스타인 작가 가싼 카나파니의 소설, 알제리혁명의 지도자 프란츠 파농의 저작까지 디아스포라 문학의 관점에서 다뤘다. 해방되어 귀환한 동포들을 위로한 이용악의 시와, 재일조선인 시인 김시종의 문학 역시 문학비평가 에드워드 사이드의 회고와 함께 디아스포라 문학의 관점에서 다뤘다. 결론으로 20세기와 21세기 디아스

---

* 테오도르 아도르노, 『부정 변증법』(한길사, 1999) 469쪽.

포라 문학의 공통점과 차이점을 논했다.

「사건, 주체, 문학」은 식민지배와 전쟁과 같은 극한상황에서 문학 주체가 형성되는 과정에 초점을 맞춘 글이다. 3·1운동과 염상섭, 아우슈비츠와 프리모 레비, 해방기의 문학가 동맹 작가들, 60년 4월 혁명의 시인들, 70~80년대 군사독재체제에 맞선 문인들의 행적을 더듬으며, '사건 내 존재'로서의 문학 주체들이 실행한 대항 전략을 검토했다. 일례로, 현기영의 「순이 삼촌」, 한강의 『소년이 온다』, 조갑상의 『밤의 눈』을 다뤘다.

'한국전쟁기'에 초점을 맞춘 「한국전쟁과 지역문학 – 한국전쟁기의 충북 문학인」은 전쟁 당시 충북 출신 문학인들의 행적을 추적한 글이다. 괴산 출신의 홍명희를 비롯하여 옥천의 정지용, 청주의 김기진, 음성의 이무영, 보은의 오장환, 충주의 권태응, 청주의 신동문과 민병산 등 20명의 문인들이 '전쟁'이라는 극한상황에서 어떤 문학의 길을 선택하였는지 살펴본다. 종군작가가 된 이, 고향에서 전란을 피한 이가 있고, 38선 이북으로 올라간 이, 이남에 남은 이가 있다. 과연 이들의 문학은 언제 어떤 자리에서 피어났는지 유심히 살펴보려 했다.

「『임꺽정』의 현재성 – '조선 정조'의 의미」는 여전히 문학사 주변을 맴도는 홍명희의 『임꺽정』에 주목한 글로, 2017년 가을 22회 홍명희 문학제에서 발표됐다. '조선 정조에 일관된 작품'이 되게 하였다는 홍명희의 발언을 글의 뼈대로 삼아, 벽초가 말하는 '정조'를 요즘의 문학비평가들과 연구자들이 자주 인용하는 정동(affect) 개념에 비견하면서, '조선 정조'의 구현사례로 『임꺽정』의 명장면들을 더듬어 보았다. '식민지배'라는 극한상황이 '내선일체'라는 극한조건으로 변모하는 시기와 맞물린 『임꺽정』을, 강한 원심력을 지닌 불후의 고전으로 조명했다.

날로 더 정교하고 치밀해져 가는 극한조건을 중지시켜야 한다. 이제는 더 이상 극한으로 치닫지 않을 중용(中庸)의 세계를 상상해야 한다. 극한의 문학이 바로 그 씨앗이다. 극한조건은 저절로 사라지지 않는다. 문학 주체들이 그 내부에서 씨앗을 틔워 떡잎이 되고, 나무가 되고, 꽃과 열매를 맺을 때만 극한조건은 힘을 잃고 서서히 흩어져 가라앉을 것이다. 만인의 애씀이 만인의 기쁨으로 순환되는 중용의 세상을 상상해야 한다. 모든 힘을 상상력으로 모을 때다.

네 편의 글을 한 권의 책으로 엮기까지 많은 이의 도움을 받았다.

디아스포라 문학 관련 작품을 알려준 문학평론가 고영직, 디아스포라 문학과 사건/주체/문학 원고를 두 번이나 실어준 인천작가회의 『작가들』 편집부의 홍명진 작가와 이설야 시인, 〈한국전쟁과 지역문학〉 세미나에 초대한 충북작가회의 김덕근, 이종수, 정민 시인, 『임꺽정』 강연을 열어준 사계절출판사에게 감사드린다.

네 편 모두 발표된 원고였지만, 책으로 묶는 과정에서 많은 오류가 발견됐다. 논리의 비약은 물론, 잦은 오탈자와 엉뚱한 비문들이 눈에 거슬렸다. 네 편의 원고를 처음부터 끝까지 축자적으로 검토하고 수정 방향은 물론, 수정 내용까지 일러준 윤이주와 소현우는 공동저자라고 할 정도로 애써 주었다. 두 사람에게 사랑한다는 말을 전한다.

문학의 길로 이끌어주신 김시업 선생님, 함께 문학을 시작한 학교 선배·동기·후배들, 노해문 동지들, 민예총·작가회의 선배들, 새시·일과나날·저마다의별·우리도숲 동인, 책과글·북클럽체홉의 벗들, 도시인문 친구들, 문래동의 시와전 작가들, 친구문예 친구들, 소소다향 식구들, 공주의 작은책방 식구들 모두 감사드린다. 이분들과 함께 느끼고 생각하고 썼다.

이 책의 출판을 맡아준 청색종이 대표 김태형 시인께도 깊이 감사드린다.

2021년 10월

소종민

문학의 극한

소종민
지음

디아스포라, 문학에 관한 물음

나는 보이지 않는 인간이다. 아니, 그렇지만 에드거 앨런 포를 사로잡은 유령이나 할리우드 영화에 나오는 심령체 같은 존재라는 말은 아니다. 나는 살과 뼈가 있고, 섬유질과 체액으로 이루어진, 실체를 지닌 인간이다. 게다가 어쩌면 정신까지도 있다고 할 수 있다. 내가 보이지 않는 이유는 사람들이 나를 보려고 하지 않기 때문이다. 나는 마치 서커스의 곁들이 프로그램에서 가끔씩 등장하는 몸뚱이 없는 머리들처럼, 실물을 왜곡해서 보여주는 단단한 거울들로 둘러싸인 것 같다. 사람들은 내게 다가올 때 내 주변의 것이나 혹은 자신들의 상상 속에서 꾸며진 것만을 본다. 그야말로 그들은 모든 것을 빠짐없이 다 보면서도 정작 나의 진정한 모습은 보지 않는다.

— 랠프 앨리슨의 『보이지 않는 인간』[1]에서

---

1   랠프 앨리슨, 『보이지 않는 인간 1』(민음사, 2008) 11쪽.

아프리카계 미국인

2016년 7월과 9월, 루이지애나 주와 캘리포니아 주에서 백인 경찰이 무고한 흑인 청년들에게 총격을 가하여 죽게 한 사건이 발생했다. 2020년 5월, 미네소타 주에서는 47세의 흑인 조지 플로이드가 백인 경찰에 체포되는 과정에서 질식사했다. 명백한 영상증거자료가 있음에도 거짓으로 일관한 경찰 측의 진술은 항의시위를 불러일으켰고, 시위대는 '건달들'일 뿐이며, '약탈이 시작되면 총격을 시작할 것'이라는 당시 대통령이었던 트럼프의 말은 도화선이 되어 대규모 항의시위를 전국으로 폭발시켰다. "Black Lives Matters!(흑인의 생명은 소중하다!)"는 플로이드 시위의 강력한 모토가 되었다. 미국에서 흑인은, 백인들에게 여전히 '보이지 않는 인간'이기 때문이었다.

미국 흑인, 즉 아프리카계 미국인들은 400년 전 노예로 끌려온 아프리카 흑인 디아스포라의 후예들이다. 아프리카 흑인들은 1619년, 버지니아 제임스타운의 노예시장에서 처음으로 거래되었다. 대서양을 사이에 두고 유럽과 아프리카 대륙을 횡행했던 스페인과 포르투갈의 노예상인들이 벌인 소행이었다. 그로부터 250년 뒤인 1861년, 미국은 농업 중심의 남부와 공업 중심의 북부로 갈라져 내전(civil war)을 벌였다. 4년간의 남북전쟁에서 북부가 승리하면서 남부지역의 농장노동에 얽매여 있었던 400만 명의 흑인들은 공식적으로는 자유민이 되었다. 이후 흑인은 정치 · 법률적으로 시민으로서의 신분이 보장되긴 했다. 하지만 사회 · 문화적으로 흑인이 백인과 인간으로서 동등하여 각양각색의 모습을 띤 차별과 배제와 편견과 백안시(白眼視)에서 자유를 얻은 건 결코 아니었다. 미완의 해방이었다.

해방 전, 흑인들은 스스로 자유를 쟁취하기 위하여 탈출을 적극적으로 시도하였다. 탈출을 조직적으로 돕는 구호활동도 뒤따랐다. 어둠 속에서 도망 노예의 모습이 보이면, 안내자는 접선의 신호로 흑인영가를 불렀다.

지하철도(The Underground Railroad)라는 비유적인 이름 아래 노예들의 탈출을 조직적으로 도왔던 일련의 구호활동 (…) 이 은밀한 활동에는 머나먼 탈출 경로인 '지하철도'를 따라 중간 은신처를 의미하는 역(stations)이 있고, 그

18

곳들에는 탈출을 돕는 열차 차장(conductors)이 있었다. 이 과정에서 어떤 영가들은 중간에서 '열차 차장'과 접선하는 암호의 역할을 했다. 많은 '차장'들은 도망 노예(runaway slave)들을 실어 나르거나 호위하기 위해 위험을 무릅쓰고 수시로 포장마차(caravan/chariot)를 몰고 남부지역을 왕래했다. 이 조직적 구조활동을 대표적으로 주도했던 것으로 알려진 해리엇 터브먼(Harriet Tubman, 1822?~1913)이라는 노예 출신 흑인 여성은 효과적이고 헌신적인 '차장'으로서 "검은 모세(Black Moses)"로 불리기도 했다. 그녀가 도망 노예 앞에 존재를 드러낼 때면 접선의 신호로서 언제나 다음과 같은 특별한 영가를 불렀다고 한다. "오솔길은 어둡고 가시투성이라네/ 순례자가 걸어가는 그 오솔길/ 그러나 이 슬픔의 계곡 너머엔/ 영원한 날들의 들판이 펼쳐져 있지." 도망 노예들이 어디에선가 들려오는 이 노래를 듣게 되면, 그들은 '검은 모세'가 곧 모습을 보여 긴 여정을 이끌어 주리라는 것을 알았다.[2]

흑인영가는 '탈출'이라는 특별한 목적을 위해 적극적으로 사용되었다. 널리 알려진 〈스윙 로우, 스윗 채리엇〉 역시 그랬는데, 흔들거리며(swing) 낮은(low) 소리로 도망 길을 달리는, 친절하고 고마운(sweet) 포장마차(chariot)는 도망 노예와 조력자들의 '복합적인 심리상태'와 실제 상황을 암시하는 노래다. 백인들의 가혹한 폭행과 강간과 살인은, 죽음이

---

2 독고현, 「흑인영가의 버내큘라 전통 연구」, 『음악교육공학 23』(2015. 4) 131~132쪽.

디아스포라, 문학에 관한 물음 · 19

아니면 끝나지 않는 노예노동의 사슬 때문이었다. 흑인영가는 너덜너덜해진 흑인 노예의 몸과 마음을 어루만져 준 유일한 휴식처였다. 그리고 마침내 흑인영가는 흑인들의 탈출과 저항과 해방의 노래였다. 오로지 흑인 디아스포라에 속한 음악이었고 문학이었다.

디아스포라(diaspora)는 이산(離散)이다. 떨어져 흩어지는 것이다. 어디서 떨어지는가. 국가와 민족에서 분리되는 것이다. 거주지와 고향에서 분리되는 것이다. 가족과 형제에서 분리되는 것이다. '너'로부터 분리되고 '나'로부터 분리되는 것이다. 어디로 흩어지는가. 국가와 민족, 거주지와 고향, 가족과 형제, 그리고 '네'가 없는 곳으로 흩어진다. '내'가 없는 곳으로 흩어진다. 나는 나로부터 분리되어 떠난다. 어떤 사건이 벌어진 뒤 생긴 일이다. 그것은 노예사냥과 전쟁, 피난, 강제추방과 강제이주, 생계압박으로 인한 이주노동이라는 사건이다. '나'는 다른 곳으로 옮겨져 마지못해 생을 이어가고, 다른 곳의 다른 사람들과 힘을 모아 이전과는 전혀 다른 생을 살아간다. 디아스포라의 노래와 이야기는 상실과 변신(變身)의 테마를 갖고 있다. 디아스포라인 '나'의 노래, '나'의 이야기는 어디에서도 태어난다. 내 안의 디아스포라가 깨어날 때 디아스포라 문학은 탄생한다. 애초에 문학에는 디아스포라적인 게 있다. 탄생과 소멸, 저항과 부활, 만남과 헤어짐은 문학의 근본 테마 아니던가.

마르티니크와 알제리 사람들

1954년 11월, 북아프리카 알제리에서 혁명이 시작되었다.

프랑스 식민주의가 감행한 무수한 알제리 남녀들의 살육은 유독 세계의 이목을 끌어, 우리가 알다시피 거센 반발의 물결이 밀어닥쳤다. 하지만 우리는 알제리의 현실을 보다 가까이서 들여다보도록 노력해야 한다. 그저 스쳐가는 일은 없어야 한다. 오히려 한 걸음 한 걸음 알제리 땅 위에, 알제리 민중 위에 찍힌 거대한 상처 부근을 거닐어야 한다. [3]

---

3 프란츠 파농, 『혁명의 사회학(원제. 알제리혁명 5주년)』(한마당, 1981) 108쪽.

윗글은, 프란츠 파농(1925~1961)의 것이다. 파농은 프랑스령 식민지 마르티니크 섬[4]에서 태어났다. 36세의 나이로 죽었으나 그의 삶은 완전 연소 자체였으며, 하나의 불꽃이었다. 식민본국 프랑스에서 배운 의학 지식과 의사 직책 모두를 반식민주의 항쟁의 최전선에 바친 그를 '혁명 가'라고 부를 수 있다. 그는 아프리카 흑인 디아스포라의 후예였다. 2차 대전에 참전한 군인으로서, 또 이론가로서 그는 아프리카로 돌아와 알제리민족해방전선의 의료부대를 조직하고, 게릴라 전을 지휘하였다. 식민체제에 신음하는 흑인 형제들이 있었기에 파농은 저항했고 새로운 사회를 꿈꾸었다. 마침내 1964년, 알제리는 10년간의 혁명전쟁에서 승리하였다. 프랑스 식민체제를 몰아내고 독립을 선언하였다. 파농이 백혈병으로 죽은 지 3년 뒤였다.

마르티니크에서 청년 파농을 가르친 에메 세제르(1913~2008)는 세네갈의 레오폴 상고르 등과 함께 네그리튀드(Négritude) 운동[5]을 이끈 정치가이자 뛰어난 시인이었다. 초현실주의 문학가 앙드레 브르통과 실존

---

4 1635년, 프랑스 식민지가 된 마르티니크는 동부 카리브해에 있는 섬이다. 원주민들은 섬에서 추방되거나 죽임을 당했으며, 이후 주민 대다수는 서부 아프리카에서 잡혀 온 흑인 노예들로 채워졌다. 1946년 프랑스의 해외 레지옹(region)이 된 이해 지금까지 프랑스령으로 있으며, 인구는 38만 명이다.

5 '네그리튀드'는 흑인의 자주적 · 민족적 독립선언이자 정치적 문화운동이다. 이 운동의 창시자는 레오폴 세다르 상고르와 에메 세제르이다. 자세한 것은, 오생근의 논문 「에메 쎄제르의 네그리튀드와 초현실주의」(백낙청 편, 『리얼리즘과 모더니즘』, 창작과비평사, 1984. 334~384쪽)를 참조할 것.

주의 마르크시스트 장-폴 사르트르는, 세제르의 산문시 『귀향 수첩』이 초현실주의 문학을 혁명적으로 계승한 작품이라고 평가했다. 프란츠 파농은 첫 저서 『검은 피부, 하얀 가면』(1952)의 「제5장 흑인의 생체험」에, 열기로 가득한 『귀향 수첩』의 시구들을 옮겨적는다.[6]

화약도 나침반도 발명하지 못했던 사람들

증기기관도 전기도 정복할 수 없었던 사람들

바다도 하늘도 탐험하지 못했던 사람들,

그러나 그들은 알고 있는 것이다

고통의 나라 구석구석까지

강제로 실려가는 것밖에는 여행이라는 것을 몰랐던 사람들

무릎을 꿇고 복종하는 것만을 배웠던 사람들

양순하게 길들여지고 기독교의 가르침으로 멍든 사람들

퇴화의 독소를 주입받은 사람들…

파농은 세제르의 시구를 인용한 다음, 바로 이어서 자기 생각을 적어 넣었다. "그렇다! 이 사람들이야말로 나의 형제다. '고통의 형제애'가 우

---

6   프란츠 파농, 『자기 땅에서 유배당한 者들(원제. 검은 피부, 하얀 가면)』(김남주 옮김, 청사, 1978) 128~129쪽.

리들을 결속시켜 준다." 파농은 다시 세제르의 시로 돌아간다.

  … 그들이 없이는 대지가 대지일 수 없는 사람들

  황량한 대지보다도 더 부풀어 오른 돌출부

  대지가 대지다운 것이기에

  지켜야 할 곳간이 있고

  거두어들여야 할 곡식이 있다.

  대지!

  나의 검은 피부는 결코 돌이 아니다.

  한낮의 소란에 귀가 먹은 돌이 아니다.

  나의 검은 피는 대지의 썩은 눈동자,

  생명 없는 물의 반점이 아니다.

  나의 검은 육체는 감옥도 아니고 성당도 아니다.

  그것은 태양을 향해 돌진하는 붉은 살덩이고

  그것은 하늘로 치솟아 활활 타는 살점이고 불덩이이고

  그것은 고통의 원주이고 그 원주는 불투명한 세계를 부수어버릴 것이다.

파농은 세제르의 시구에 추임새를 넣는다. "에헤야! 북이 우주적인 메시지를 연주하고 있다. 니그로들만이 이 메시지를 전달하고 그 의미, 그 위력을 설명할 수 있다. 나는 말을 타고 세계를 달리고 세계의 옆구리를 박차버리고 세계의 목덜미를 애무한다. 마치 제사장이 희생자의 눈앞에서 기도드리는 체하는 것처럼." 검은 피부, 검은 피, 검은 육체, 붉은 살덩이, 고통의 원주는 "불투명한 세계를 부수어버릴 것이다"! 어느새 세제르의 시는 눈으로 읽는 활자가 아니라, 파농의 혈관을 타고 흐르는 피로 변한다. 혈관 속의 광포한 리듬으로 증폭되어, 무변광야를 달리는 검은 야생마처럼 질주한다.

그러나 그들은 만물의 본질에 정신을 빼앗기고 몸을 던진다. 피상적인 일에 구애받지 않고 만물의 운동에 몸을 던진다.

정복에 겁내지 않고 세계가 운명을 같이한다.

세계의 진정한 아들인 그들은

가슴을 세계로 활짝 열어젖히고

바람과 바람이 서로 만나는 우애의 장소에서

세계의 물이라는 물은 모두 한곳으로 흐르는 광활한 해원에서

세계의 성화(聖火)가 타오른다.

세계의 운동, 그 속에서 고동치는 세계의 살과 살!

파농은 소리친다. "피! 피! 피!…. 탄생! 생성의 환희! 한낮의 혼돈 속에 먹혀서 나는 내가 피로 물들여지고 있음을 느낀다. 세계의 동맥이 불끈거리고 분쇄되고 뿌리가 뒤흔들리면서 내 쪽을 향한다. 그럼으로써

나는 비옥해졌다." 한때, 세계를 이성적으로 파악하고 세계의 합리적인 변화를 생각했던 파농은 "그런데 세계는 인종편견의 이름으로 나를 여지없이 거절하여 버렸다"고 썼다. 그 후 이성적인 것으로는 어떠한 일치점도 찾을 수 없었기 때문에, 파농은 "비합리성"에 자신의 몸을 던졌다고 말했다. "비합리적인 세계로 뛰어들어 비합리적인 것에 목까지 내밀 것"이라고 파농은 결의하였다. 세제르의 『귀향 수첩』은 파농을 비합리적인 광기와 파괴 충동, 혁명과 같은 '신적인 폭력'[7]의 세계로 진입시키는 검은 통로였다. 비합리적인 몰두, 조건 없는 내던짐, 혁명적 파토스로 결속된 행동만이 세계의 비합리적인 균형과 비합리적인 일치를 깨뜨릴 수 있음을, 파농은 깨달았다. 그러므로 저항하는 디아스포라, 세계의 평화로운 교통을 꿈꾸는 디아스포라에게 문학과 혁명은 언제나 불이(不二)였다.

---

7   발터 벤야민, 「폭력 비판을 위하여」, 『발터 벤야민 선집 5』(도서출판 길) 111쪽.

팔레스타인 사람들

팔레스타인 작가 가싼 카나파니의 단편 「송골매」에 나오는 자단은 매 사냥꾼이었다. 고향을 떠나 도회지 빌딩의 경비원 일을 하고 있는 자단은 원래 베드윈 사람이었다. 베드윈 사람들은 팔레스타인 남쪽의 황량한 벌판인 네게브 사막에서 수천 년 동안 유목 생활을 해온 유목민이었다. 1948년 5월, 팔레스타인 땅에 이스라엘이 들어서고 이스라엘인들은 네게브 사막을 개간하여 키부츠를 만들었다. 베드윈 사람들은 더 이상 네게브 사막에서 살 수 없게 되었다. 실연당해서 도시로 도망쳐 왔다고 둘러대지만, 자단 역시 다른 베드윈 사람들처럼 어쩔 수 없이 네게브를 떠난 것에 불과했다. 도시에서 숙식 가능한 거처를 구하다 자단은 빌딩 경비원이 되었다. 동료 무바라크는 자단의 행동들이 몹시 기이하게 느껴졌다. 경비원 제복은 절대 입지 않는 데다, 깨끗한 방을 거부하고 큰 상자에서 떼어낸 판자 세 쪽으로 이상한 모양의 침대를 만들어 검은 염소 가죽 한 장만 덮고 잤기 때문이었다. 자단은 종종 무바라크에게 자신은 여기 일하러 온 게 아니며 세상 어디서나 사람들이 그러듯 그저 여기 앉아 있는 것이며 그냥 여기서 편안하게 죽고 싶지, 동포들한테는 돌아갈 생각이 없다고 말하곤 했다. 그런 자단이지만 영양 사냥 이야기를 할 때는 표정이 밝아지며 눈에 생기가 돌았다.

그는 나를 향해 돌아앉았다. 그는 다리를 들어 책상다리를 하고 앉더니 거친 손을 내 무릎에 얹었다. 그 목소리는 어둠을 가로질러 머나먼 곳에서 들려 왔다.

"이봐요, 압달라. 20년 전에 나는 영양을 사냥했소. 나는 나르('불')라는 이름의 기막힌 송골매를 갖고 있었다오. 그놈은 여러 해 동안 부족이 소문을 들은 것 중에서 최고의 송골매였소. 그놈이 날 때에는 날개가 햇빛까지 지워 버렸소. 그놈은 날개를 접고 돌멩이처럼 떨어졌소. 사람들은 이렇게 말했다오. '자단의 나르가 영양들을 태워버렸어'라고."

침묵이 감돌았다. 나는 그가 말을 멈추었다고 생각했다. 캄캄한 속에서도 나는 이 순간 그의 얼굴이 알 수 없는 행복으로 감싸여 있는 게 틀림없다고 생각했다. 사람이 사랑하다가 오래전에 잃어버린 것들에 대해 이야기할 때 그

의 얼굴에 떠도는 행복.[8]

　자단의 목소리는 약해서 거의 들을 수 없었다. 아마도 목이 메었을 것이다. 그것은 그리움이고 외로움이며, '이전 생의 이미지'가 떠올라 그랬을 것이다. 자단은 나르의 마지막 이야기를 들려준다. 옛 터전을 떠나와 도회지를 떠도는 베드윈 사람 자단이 유일하게 피어 올릴 수 있는, 가슴 깊숙이 간직한 불씨였다. 아랍공동체의 전통을 간직한 자단에게 작가 카나파니는 특별한 애착이 있는 듯하다. 다른 작품 「하이파에 돌아와서」나 「태양 속의 사람들」 등은 비극적 서사 형식을 취하는 반면, 「송골매」는 어둡게 끝맺지 않고 서정적 회상의 형식을 취하며 잔잔하게 마무리된다. 죽는 곳에 신경을 쓰지 않는 송골매 나르와, 죽으러 제 무리 속으로 사라진 영양에게서 자단과 베드윈 사람의 슬픈 운명이 연상되지만, 한편으론 죽음이라는 자연의 흐름에 기꺼이 제 존재를 맡기는 모습은 숭고한 경외감을 잔잔히 일으킨다.

　단편 「송골매」에는 터전을 빼앗긴 원주민들이 겪는 상실감과 무력감, 문명과 야만이라는 이분법적 관점이 지닌 폭력성, 기억으로만 남을 옛 과거의 흔적, 전통의 훼손과 소멸 또는 복원 가능성 등의 테마들이 사실적으로 또 은유적으로 내장되어 있다. 최초의 디아스포라였던 이스라엘

8　가싼 카나파니, 「송골매」, 『태양 속의 사람들』(창작과비평사, 1982) 133쪽.

인들이 베드윈 부족과 팔레스타인 사람들을 삶터에서 내쫓아 디아스포라로 만드는 현실은 악순환되어 좀처럼 중단되지 않는다.

　네게브사막의 사냥꾼 자단이 도시 빌딩의 경비노동자로 살아가는 모습 또한 낯설지 않다. 1960~70년대 평생 농사일만 해오다 이촌향도(離村向都)하여 공장노동자가 되거나 버스안내양이 되었던 우리네 가족들과 이웃들의 모습이기 때문이다. 당시엔 사우디아라비아 등 중동으로 해외 취업을 나간 가장들도 많았다. 영국의 예술비평가이자 화가이며 소설가였던 존 버거(1926~2017)는 『제7의 인간』에서 이주노동자들의 현실을 아래와 같이 진단한다.

　이민노동자들에게 있는 유일한 현실은 오직 일하는 것과 그에 뒤따르는 피로뿐이다. 여가시간조차 이국적이고 낯설 뿐이다. 그건 '진짜 삶'이라고 믿는 모든 것으로부터 자신이 얼마나 멀리 떨어져 있는지를 어쩔 수 없이 상기시키기 때문이다. 일하는 현재, 온 힘을 다하는 자신의 저 너머에 있는 나머지 인생이, 즉 과거와 미래 그리고 소중한 것과 희망들이 고정된 이미지로 축소되어 보인다. 이 이미지들은 삶의 이정표들이지만, 정체된 채 남아 있다. 더 개발되지 못한다(경제적인 저개발의 결과가 인생 전체에 스며들어 있다). 더 개발되지 못하는 건 그의 힘이 미치지 못하는 곳에 그것들이 있기 때문이다.

　그는 자기 힘을 오직 일하는 데 씀으로써만 그 좌절감을 극복할 수 있다. 왜냐면 그는 자기 임금을 저축함으로써 그 '이미지'와 재결합할 수 있고, 그것을 되살려 낼 수 있다고 믿기 때문이다. 그가 일을 멈추기만 하면 그 이미지들은 즉시 그를 다시 따라다닌다. 그 이미지들 자체는 정체되어 있지만, 자기들 내부에서는 무서운 방식으로 변동한다. 그는 자기 자신의 이미지와 그의 이전 생의 이미지가 마치 서로 다른 방향으로 운행하는 별들처럼 우주 공간으로 마구 달아나서 그 사이의 거리가 계속 늘어나고 점점 더 커지는 것 같은 느낌을 받는다. 이런 느낌으로부터의 구원은 오직 노동뿐이다.[9]

이주노동자가 되면 '자기 자신의 이미지'와 '그전 생의 이미지'가 '서로 다른 방향으로 운행하는 별처럼' 점점 멀어지는 느낌을 피하지 못한다. 양극으로 자꾸 멀어지는 이미지들이 이제 다시는 일치될 수 없다는 걸 깨달을 때, 나는 나로부터 분리되어 이전과는 전혀 다른 내가 되어 있음도 알게 된다. 그 좌절감을 이겨낼 수 있는 유일한 수단은 가혹한 노동에 파묻히는 일뿐이다. 그래야 생각에서 벗어날 수 있으니 말이다. 존 버거는, 이주노동자들이 자신의 이미지들, 즉 이 양극으로 분열되는 이 끔찍한 공포에서 벗어나려고 맹목적으로 노동에 몰입되는 상태를 '구원(救援)'이라고 말하지만, 반어적 표현이란 걸 우리는 안다. 실상은 무력한 도피이며, 상실이 시작되는 첫 단계다.

점차 '나'는 굳어지고 비어간다. 알 수 없는 불안과 공포에 눈동자는

---

9 존 버거, 『제7의 인간』(눈빛, 2004) 185쪽. * 인용 원문을 읽기 편하도록 다소 수정하였다.

늘 떨리게 된다. 결국 표정은 없어지고 멍한 눈만 남게 된다. 이것이 바로 '소외(疎外)'다. 영혼이 탈각된 육신으로 있는 상태, 알맹이는 사라지고 껍데기만, 겉 테두리만이 간신히 유지되는 상태. 계몽주의 시대의 철학자 헤겔은 『정신현상학』에서 "이러한 외적 현실이… 그의 노동이지만 그를 긍정하는 노동이 아니라 오히려 그를 부정하는 노동이다. 이와 같이 외적 현실은 자기의식의 고유한 외화(外化)와 본질 해체를 통해서만 자신의 현존재를 견지할 수 있을 뿐이다. (…) 그러나 실체를 현실적인 것으로 만드는 이러한 행위와 생성은 개인격(個人格)의 소외"[10]라고 말했다. 소외는 '나 자신'이 '나'에게서 분리되어 흩어지는 분열이다. 자기 내면에서 벌어지는 이산(離散)의 현상이며, 디아스포라의 내적 출현이다.

철학자 하이데거는 2차 세계대전이 끝나고 4년 뒤에 "고향 상실은 세계의 운명이 된다"[11]고 말했다. 공교롭게도 1949년은 팔레스타인 사람들이 터전을 잃게 된 때였다. 수천 년 살아온 땅을 하루아침에 내주어야 했던 팔레스타인 사람들의 입장에서 하이데거의 말은 재난을 숙명으로 받아들이라는 뜻으로 들렸을 것이다. 나치 권력의 편에 섰던 과오를 반성하지 않는, 비겁한 지식인의 위선적이고도 폭력적인 언사 이외

---

10 H. 포피츠, 『소외된 인간』(이삭, 1983) 179~180쪽에서 재인용함.

11 마르틴 하이데거, 「휴머니즘 서간」, 『이정표 2』(한길사, 2005) 154쪽.

에 아무것도 아니었을 것이다.

가싼 카나파니의 단편 「하이파에 돌아와서」는, 고향 하이파가 20년 만에 개방되어 고향으로 돌아온 사이드와 소피아 부부의 이야기다. 20년 전, 그들은 태어난 지 5개월밖에 안 된 아기를 노부모에게 맡기고 집을 떠나야 했다. 기적과 같이 20년 만에 다시 만난 아들은 이스라엘군이 되어 있었다. 아들은 이미 '아들'이 아니었다. 사이드는 이렇게 중얼거린다. "조국이란 대체 뭐지?" 아내 소피아가 "당신 뭐라고 하셨나요?"라며 되묻자 사이드는 이렇게 말한다.

> 조국이란 뭐냐고 물었어. 조금 전에 나는 그 물음을 자신에게도 물어봤지. 그래, 조국이란 뭐지? 그것은 이 방에 20년 동안 존재해 온 이 두 개의 의자를 말하는 건가? 아니면 테이블이란 뜻인가? 공작의 깃털인가? 벽에 걸린 예루살렘의 사진인가? 문의 돌쩌귀인가? 발코니인가? 조국이란 무엇인가? (…) 그것은 벽에 걸린 형의 사진인가? 나는 다만 묻고 있을 뿐이야.[12]

수천수만의 디아스포라에게 조국이란 무엇인가? 수십수백 년 떨어져 있다 다시 돌아온 그곳은 조국인가? 사이드가 그것을 묻는다. '그' 조국은 어디로 갔는가? '아들'을 아들로 맞이할 수 없고, '부모'를 부모로 인정

---

12 가싼 카나파니, 「하이파에 돌아와서」, 『태양 속의 사람들』(창작과비평사, 1982) 214쪽.

할 수 없는, 이 돌이킬 수 없는 간극을 어떻게 뛰어넘을 수 있는가? 「하이파에 돌아와서」의 작가 카나파니는 묻고 또 물으며, 싸우고 또 싸운다. 1936년, 팔레스타인 서북해안의 작은 항구마을 아크레에서 태어난 가싼 카나파니는 1948년 4월에 일어난 전란을 피해 가족과 함께 다마스커스로 이주할 수밖에 없었다. 카나파니는 1969년, 레바논의 베이루트에서 팔레스타인 인민해방전선(PFLP)의 기관지 『알하다프』를 창간하고, 조직의 대변인으로 활동했다. 1972년 7월, 그의 자동차에 누군가 장치한 부비트랩이 폭발하면서 사망하였다. 36세, 프란츠 파농과 같은 나이였다.

문학은 그에게 무엇이었을까? 팔레스타인 해방을 위한 수단만이 아니었다. 그에게 문학은 '물음'이었다. 해방이 되면 조국은, 그리고 형제는, 그리고 '나'는 돌아오는가? 다른 곳으로 옮겨져 간신히 생을 지탱해오던 '나'는 집으로 돌아오면, 다시 '나'로 살게 되는가? '나는, 우리는 무엇인가'를 카나파니는 집요하게 묻고 또 싸웠다. 질문과 저항의 무한 반복, 그것이 카나파니의 디아스포라 문학이다.

탈식민주의 비평서 『오리엔탈리즘』의 저자 에드워드 사이드[13]는 그

13　문학비평가 에드워드 사이드(1935~2003)는 예루살렘에서 태어나 12세 때인 1947년, 가족과 함께 고향을 떠나 이집트의 카이로에서 살았다. 1951년 미국에서 유학하였다. 하버드대에서 학위를 받은 그는 컬럼비아 대학의 영문학·비교문학 담당 교수로 재직했고, 컬럼비아 대학의 석좌교수 및 미국 학술원 회원이 되었다. 『오리엔탈리즘』에서 그는 서구가 창출해낸 동양에 대한 오랜 편견, 그 지배방식을 비판적으로 규명하였다. 그는 문학이론가·문명비평가에 머무르지

의 자서전에서 이렇게 말했다.

　이른 아침에 잠에서 깨어나, 몇 시간 전에 완전히 잃어버렸을지도 모르는 것과 다시 접촉하고 다시 시작하는 순간만큼 내 기운을 북돋워주고 불면 때문에 몽롱해진 의식의 혼탁을 없애주는 것은 없다. 이따금 나 자신이 한 줄기 흐름처럼 느껴질 때가 있다. 고체처럼 충일하고 단단하고 안정된 자아라는 개념, 많은 사람들이 그토록 중요하게 여기는 정체성보다는 한 줄기 흐름이 나는 더 좋다. 이 흐름은 인생의 주제곡처럼 깨어 있는 시간 동안 계속 흐르고, 전성기에도 화해나 조화를 요구하지 않는다. 이 흐름은 점점 '멀어지고' 제자리에서 벗어날지도 모르지만, 적어도 항상 움직이고 있다. 시간 속에서, 장소 안에서, 온갖 기묘한 형태로. 그렇다고 반드시 앞으로만 움직일 필요는 없다. 이쪽저쪽으로 움직이고, 때로는 중심되는 하나의 주제 없이 대위법적으로 충돌하기도 한다. 나는 이것을 자유의 한 형태라고 생각하고 싶지만, 완전히 그렇게 확신하는 것은 아니다. 그 회의주의도 내가 특히 매달리고 싶은 주제들 가운데 하나다. 나는 제자리에 머물러 있기보다 거기서 엉뚱하게 벗어나기를 좋아한다. 그렇게 된 것은 아마 그만큼 내 인생에 불협화음이 많았기 때문이리라.[14]

않고, 미국 정부의 중동 외교정책의 강력한 비판자였다. 10년간 앓아온 백혈병으로 인하여 2003년, 세상을 떠났다.

14　에드워드 사이드, 『에드워드 사이드 자서전』(살림, 2001) 486쪽.

길 위의 인생 또는 디아스포라의 삶을 이보다 명확하게 드러내는 표현이 있을까. 에드워드 사이드는 자신의 삶을 '흐름'으로 파악하면서 '자유의 한 형태'라고 생각하고 싶어 했다. 사이드는 굴절된 역사와 사회적 모순에 의해 의지와 상관없이 '디아스포라'가 되었지만 삶을 총괄하는 시점에서 자신이 자연의 아들인 '자유인'이었음을, 아니 '자유인'이고자 했음을, 이를 위해 평생 묻고 싸워 왔음을 담담히 고백하고 있다. "내 인생의 기본적인 분열은 바로 언어의 분열이었다"고 그는 말했지만 '분열'을 '흐름'으로 전환하고, 흐름에서 분분히 피어오르는 희열의 순간, 존재의 자유로운 순간을 발견하였다. 그러므로 이 자서전의 한 대목은, 카나파니의 '물음'에 대한 사이드의 '답변'으로 여겨도 좋을 것이다.

고려인과 조선인

스탈린정권에 의해 1937년, 사할린에서 중앙아시아까지 강제이주된 고려인들,[15] 일제의 총력전 준비로 1940년대 아시아 곳곳으로 강

---

[15] "1937년 9월에 강행된 강제이주는 연해주 고려인들의 삶과 문학을 완전히 전복시켜버린 미증유의 비극적인 사건이었다. 스탈린정권에 의해서 고려인들은 74년(1863~1937)의 연해주 생활을 하루아침에 빼앗기고 이유도 모른 채 40일 넘게 짐승처럼 화물차에 태워져 황무지나 다름없는 중앙아시아로 강제이주 되었다. 이 과정에서 식량과 식수도 제대로 공급되지 않은 상태에서 추위와 굶주림, 질병 등으로 어린아이부터 노인에 이르기까지 수없이 많은 고려인들은 죽어나갔다. 강제이주의 배경은 우선, 스탈린정권의 민족정책에서 비롯된 것이었다. 스탈린은 1936년 스탈린 헌법을 제정하여 각 민족의 주권을 무시하고 강력한 중앙연방제를 강조한 대러시아주의를 법문화하였다. 이것은 기존의 레닌의 민족정책을 완전히 뒤엎은 것으로서, 소수민족의 평등권과 자결권은 더 이상 용납되지 않았고 각 민족들의 권익운동은 이적행위로 취급되어 탄압받기 시작하였다. '소비에트화 정책'은 모든 것이 소련을 중심으로 동화되고 발전될 것을 강조한 정책이었다. 이 과정에서 스탈린정권은 대규모적인 탄압을 정당화하기 위해서는 지도급 인사나 농민에 이

제로 징용된 조선인들, 1920~30년대 먹을 것이 없어 남부여대(男負女戴)
북간도까지 올라가야 했던 남쪽 사람들 모두, 디아스포라였다.

그가 아홉 살 되던 해

사냥개 꿩을 찾아 쫓아다니던 겨울

이 집에 살던 일곱 식솔이

어데론지 사라지고 이튿날 아침

북쪽을 향한 발자욱만 눈 위에 떨고 있었다

더러는 오랑캐령 쪽으로 갔으리라고

더러는 아라사로 갔으리라고

이웃 늙은이들은

모두 무서운 곳을 짚었다

르기까지 '인민의 적'을 찾아냈고 한편으론 소수민족들 사이에서 '인민의 적'을 찾아내어 대대적인
숙청과 탄압을 가했다. 강제이주 직전 스탈린은 20만 명이던 연해주 고려인들 중에서 저항과 반
발을 예방하기 위해 조명희[1894~1938, 소설 『낙동강』의 작가]를 비롯한 지도급 인사 2500여 명
의 고려인들을 일제 스파이나 반역죄라는 죄목으로 처형해버렸다. 또한 강제이주의 직접적인 원
인으로 작용한 것은 정치, 군사적인 측면이 강했다. 소련은 연해주의 극동지역은 조선인들이 일본
을 위해 스파이 활동을 전개할 기반이 된다고 여겼으며, 만약 소련과 일본의 전쟁이 반발하면 상
당수의 조선인들이 일본에 동조할 가능성이 크다고 판단했다." – 김낙현, 「디아스포라 고려인 시
에 나타난 조국과 고향의 변화양상」, 『어문연구 43』(2015.12) 331~332쪽.

지금은 아무도 살지 않는 집

마을서 흉집이라고 꺼리는 낡은 집

제철마다 먹음직한 열매

탐스럽게 열던 살구

살구나무도 글거리만 남았길래

꽃피는 철이 와도 가도 뒤울 안에

꿀벌 하나 날아들지 않는다

— 이용악, 「낡은 집」 후반부[16]

'털보네'는 그렇게 어디론가 떠났다. 친구도 사라졌다. 떠난 이 못지않게 남은 이의 가슴도 휑하다. 너나 없이 지내던 친구가 없으니, 나의 반쪽도 없다. 나는 반만 남아 있다. 디아스포라는 마음의 문제 또는 인간 형성의 문제이기도 하다. 나에게서 강제로 다른 나인 벗을 떼어내 알 수 없는 곳으로 흩어버리는 것은 '인간'을 축소하고 부정하는 일인 까닭이다.

위 시를 유이민(流移民) 시, 즉 디아스포라 문학으로 본 연구자 윤영천에 따르면, "유민(流民)이란 정치경제적인 이유 때문에 제 고향을 떠나 정

---

16   윤영천 편, 『이용악 시전집』(창작과비평사, 1988) 71~72쪽.

처없이 떠돌아다니며 살아가는 일종의 '국내이민'으로서의 유랑민과, 혹심한 정치적 탄압 등의 이유에 따른 '국외 유이민'을 모두 포괄하는 사회과학적 개념"이다. 윤영천은 "조선정부의 말기에 특히 두드러지게 나타난 봉건관료들의 혹독한 가렴주구에 못견뎌 만주·시베리아 등지로 유랑해 간 수많은 유망민(流亡民)들", "일본 제국주의자들의 조선 침탈이 본격화되면서 한층 심화·확대된 격심한 경제적 곤핍과 강도 높은 정치적 박해의 산물인 집단적 유이민", "위기에 직면해 있었던 농촌 빈민, 화전민, 도시 노동자, 도시 빈민으로서의 토막민(土幕民)" 모두 유민(流民)에 해당한다고 하였다.[17]

오랑캐령과 아라사 등 북쪽은 유민들에게 몹시 '무서운 곳'이었다. 땅은 얼어 공기도 차고, 나무와 꽃의 모양새도 다르고, 사나운 짐승의 가짓수도 많거니와, 무엇보다 사람들이 너무 무서웠다. 그곳 사람들은 우리와는 말도 다른 데다 억양이 거칠고, 얼굴 생김새며 표정조차 우락부락하고, 몸피도 두 배나 더 커서 어찌할 바를 몰랐을 것이다.

1945년 8월, 조선은 일제의 지배에서 풀려났다. 낯설고 무서운 타향을 떠돌던 유민들이 고향으로 돌아올 수 있게 되었다. 중국, 필리핀, 일본, 시베리아, 만주 등지에서 돌아온 동포는 280만 명에 달했다. 이렇게 많은 이들 중에 제집을 다시 찾은 사람이 얼마나 될까? 거리에서, 임시

---

17   윤영천 편, 『물위에 기약두고-한국 유민시 선집 1』(실천문학사, 1988) 247쪽.

로 마련한 움막에서, 다리 밑에서, 역전에서 겨우살이를 해야만 했던 이들은 또 얼마나 많았을까? 미군정은 어떤 대책을 세웠고, 또 무엇을 시행했을까? 그들의 대책과 시행은 겨우 시늉만 냈을 뿐이다. 이듬해 1946년에는 많은 일이 일어났다. 여름의 대홍수와 9월 철도 총파업, 10월 대구항쟁이 있었다. 12월 26일 저녁, 이용악 시인은 서울 종로청년회관에서 열린 〈전재동포(戰災同胞) 구제 '시와 음악의 밤'〉 행사에 참가하여 「하늘만 곱구나」라는 시를 낭송했다.[18]

집도 많은 집도 많은 남대문턱 움 속에서 두 손 오구려 혹혹 입김 불며 이따금씩 쳐다보는 하늘이사 아마 하늘이기 혼자만 곱구나

거북네는 만주서 왔단다 두터운 얼음장과 거센 바람 속을 세월은 흘러 거북이는 만주서 나고 할배는 만주에 묻히고 세월이 무심찮아 봄을 본다고 쫓겨서 울면서 가던 길 돌아왔단다

띠팡을 떠날 때 강을 건늘 때 조선으로 돌아가면 빼앗겼던 땅에서 농사지으며 가 갸 거 겨 배운다더니 조선으로 돌아와도 집도 고향도 없고

---

18 〈경향신문〉 1946년 12월 25일 기사 : "전재동포구제 시와 음악의 밤—조선문학가동맹 서울시 지부에서는 전제동포구제사업으로 오는 26일밤 오후6시부터 종로청년회관에서 조선음악가동맹 찬조출연과 예술신문사의 후원으로 「시와 음악의 밤」을 개최하기로 되었다."

거북이는 배추꼬리를 씹으며 달디달구나 배추꼬리를 씹으며 꺼무테테한 아배의 얼굴을 바라보면서 배추꼬리를   씹으며 거북이는 무엇을 생각하누

첫눈 이미 내리고 이윽고 새해가 온다는데 집도 많은 집도 많은 남대문턱 움 속에서 이따금씩 쳐다보는 하늘이사 아마 하늘이기 혼자만 곱구나

  ― 이용악, 「하늘만 곱구나」[19] 전문

 '거북네'가 만주에서 돌아왔으나 '집'이 없고, '고향'이 없다. 깊은 서러움을 참아가며 타향에서 갖은 고생을 겪고서 돌아왔건만, 맞이하는 '사람'조차 없다. 조국엔 아무것도 없었다. 모리배들이 들끓었다. 거리거리엔 굶주린 이들이 퀭한 눈으로 떼 지어 있을 뿐이다. 아무것도 없었다. 정녕 조국은 '해방'되었는가. 한 시인이 연단에 올라 그 처지를 읊조리고 있다. '집도 많은 집도 많은 남대문턱 움 속에서' 하고, '배추꼬리 씹으며' 하고, '이따금씩 쳐다보는 하늘이사 아마 하늘이기 혼자만 곱구나' 하고 배고픈 이들을 향해 시를 읊는다. 굶어본 사람이 굶는 이의 처지를 헤아리듯 가난한 시인이 가난한 전재동포에게 노래 같은 말을 붙인다. 시인의 말을 들으며 동포들은 눈물을 흘리거나 속울음을 하거나 천장을 올려

---

19   윤영천 편, 『이용악 시전집』(창작과비평사, 1988) 126쪽.

다보거나 깊이 한숨을 내쉬거나 했을 것이다. 말이 끝나 박수를 치고 그를 눈여겨보았을 것이다. '나'와 다르지 않은 이, '나'의 처지를 헤아리는 이, 기꺼이 아무것도 없는 '나'의 곁에 있어줄 이로 생각했을 것이다. 장차 어떻게 살아갈 것인지 알 수 없지만 저이가 얘기하는 '나'의 처지를 곱씹고, 크게 숨을 고르고, 눈물 어린 눈을 부릅떴을 것이다. 몇 줄의 '시'가 뭉근히 가슴 속에 들어와 마음을 몽글거리게 했을 것이다. 아주 미약하지만, 그것을 지팡이 삼아 다시 제3의 삶을 일으켰을 것이다. 몇 년 되지 않아 동족상잔의 전화(戰禍)에 휩싸일 터였지만 다시 살아갔을 것이다.

재일조선인

그렇다면, 조국으로 돌아오지 못한 이들은 또 어떻게 살아갔는가? 서경식의 『디아스포라 기행』에는 세상 곳곳의 디아스포라들과 그 연원이 소개되어 있다. '그렇게 일본이 살기 힘들다면 왜 떠나지 않고 그대로 남아 있는가?'란 질문에 서경식은 이렇게 답한다.

재일조선인의 대다수가 일본 식민지배의 결과 의도하지 않은 채 이 나라에서 태어났다. 때문에 이 나라의 언어밖에 모르고, 여기밖에는 집도 없고, 여기밖에 직장이 없고, 여기밖에는 친구도 아는 사람도 없다. 다시 말하면, 삶의 기반이 여기 외에는 없는 것이다. 어떤 때는 완곡하고 부드러운 말로, 어떤 때는 거친 목소리로 싫으면 나가라고 하는 말을 들어가면서, 그래도 여기밖에

는 살 곳이 없는 것이다.[20]

　서경식의 부모는 고향으로 돌아오지 못하고 일본에서 세상을 떴다. 이용악 시 「하늘만 곱구나」에 나오는 '거북네'와는 달리 고향으로 돌아가지 못했다. 2세들은 일본에서 태어나고 자랐다. 일본은 그들을 자신들의 일원으로 기꺼이 받아들이지 않았다. 일본국적을 선택해야만 국민으로 인정했다. 재일조선인에게는 한국, 조선, 일본, 조선적(朝鮮籍)[21]이라는 네 갈래 길이 있다. 한국 · 조선 · 일본 국적 중 어느 것도 선택하지 않으면 자동으로 '조선적'이 되는 것이다.

　일본에서 '조선적'으로 50년 가까이 살아오다가 '한국'으로 국적을 옮긴 시인이 있다. 그가 국적을 옮긴 까닭은 1년에 한두 번이라도 부모님 성묘를 하고 싶어서였다고 했다. 그의 이름은 김시종이다. 시인은 1929년 부산에서 태어나 원산을 거쳐 제주에서 성장한 후 1949년 일본의 오사카

─────────────

20　서경식, 「프롤로그」, 『디아스포라 기행』(돌베개, 2006) 30쪽.

21　'조선적(朝鮮籍)'은 1945년 일본 제국의 패망 이후, 재일 한국인 가운데 대한민국이나 일본의 국적을 취득하지 않은 사람들에게 주일 미군정이 외국인 등록제도의 편의상 만들어 부여한 임시 국적이다. 일본 정부는 '구 조선 호적등재자 및 그 자손(일본 국적 보유자는 제외) 가운데 외국인등록 상의 국적 표시를 아직 대한민국으로 변경하지 않은 사람'이라고 공식 해석한다. 대한민국의 남북교류협력에 관한 법률은 '외국 국적을 보유하지 아니하고 대한민국의 여권(旅券)을 소지하지 아니한 외국 거주 동포가 남한을 왕래하려면 여권법 제14조 제1항에 따른 여행증명서를 소지하여야 한다'고 규정하고 있다. 따라서 조선적(朝鮮籍)은 대한민국의 여권이 없으므로 대한민국 정부가 여행증명서 발급을 거부하는 방식으로, 국적 표시를 변경하지 않은 조선적(朝鮮籍)의 입국을 통제한 사례가 있다.

로 건너갔다. 1948년 4·3항쟁이 제주를 뒤흔들었을 때, 그는 어린 남로당원이었다. 4·3 봉기와 5·10 단독선거 반대시위의 여파로 제주우편국 습격에 가담한 김시종은 군경의 추격과 서청의 '빨갱이 사냥'을 피해 1년 너머 몸을 숨겨야만 했다. 1949년 5월 말, 그는 일본 가는 배에 몸을 실었다. 스무 살 때였다. 서른 살이 된 1959년, 그는 4·3의 기억을 문자로 쏟아내었다. "피는／ 엎드려／ 지맥(地脈)으로／ 쏟아지고／ 휴화산／ 한라를／ 뒤흔들어／ 충천(沖天)을／ 태웠다.／ 봉우리 봉우리마다／ 봉화를／ 피워 올려／ 찢겨나간／ 조국의／ 음울한 신음이／ 업화(業火)로／ 흔들렸다.／ 봉쇄된／ 바다에／ 뱀처럼／ 구불텅한／ 서치라이트를／ 수놓고／ 밤을／ 핥아대는／ 인광(燐光)으로／ 붉은／ 불꽃이／ 번쩍이며／ 덮쳐들었다."(『니이가타』)²²

그는 내내 오사카의 조선동네 이카이노[猪飼野]에서 지냈다. "이카이노는／ 한숨을 토하는 메탄가스.／ 뒤엉켜 휘감는／ 암반의 뿌리.／ 으스대는 재일(在日)의 얼굴에／ 길들여지지 않는 야인(野人)의 들녘.／ 거기엔 늘 무언가 넘쳐 나／ 넘치지 않으면 시들고 마는／ 일벌이기 좋아하는 조선동네.／ 한번 시작했다 하면／ 사흘 낮밤.／ 징소리 북소리 요란한 동네.／ 지금도 무당이 날뛰는／ 원색의 동네.／ 활짝 열려 있고／ 대범한 만큼／ 슬픔 따윈 언제나 날려 버리는 동네.／ 밤눈에도 또렷이 드러나／ 만나지 못한 이에

2 2   김시종(유숙자 옮김), 「니이가타」, 『경계의 시』(소화, 2008) 66~67쪽. * 이하, 『경계의 시』에서 인용함.

겐 보일 리 없는/ 머나먼 일본의/ 조선동네"(「보이지 않는 동네」)였다.[23] 연구자 유숙자는 김시종의 시가 "일본의 전통시 와카(和歌)가 지닌 서정적 운율을 탈피하는 데에서 출발"하며, "그의 표현은 일본어이면서도 일본어와는 다른 독특한 울림을 띤다"[24]고 말한다. 김시종의 시어는 "일본어를 모국어로 사용하는 일본인들에게 생경함과 더불어 기존의 일본어 틀을 탈피한 새로운 영역을 확장"[25]한 것으로 평가되고 있다.

김시종은 1세대 재일조선인으로서 '재일(在日)을 산다'는 실존 또는 생존의 문제에 깊이 천착했다. 그는 "고유의 문화권에서 벗어난 '재일(在日)'을 산다는 것은 어떤 부채나 마이너스가 아니라 조선에 없는 것을 키우며 살아가는 방식이며, 5천 년 역사에도 없는 것을 조선에 끌어들일 가능성을 산다는 시점이 개발될 때, 젊은 세대들이 조국과 멀어졌다는 허무에 빠지는 일이 극복될 수 있을 것이다. 이는 오히려 오늘날 단절된 '조선'을 되돌리는 활력이 될 수도 있기 때문"[26]이라고 말한다. 디아스포라 김시종의 이 말은 파농과 카나파니의 말과 비슷하다. '조선에 없는 것', '5천 년 역사에도 없는 것', 그가 화석처럼 간직하고 있는 '그것'은 무엇일까? 민족 또는 국가의 바깥에서, 기나긴 디아스포라의 여정에서

---

23 김시종, 「보이지 않는 동네」, 『경계의 시』 91~92쪽.

24 유숙자, 「해설」, 『경계의 시』 183쪽.

25 유숙자, 「해설」, 『경계의 시』 184쪽.

26 유숙자, 「해설」, 『경계의 시』 181쪽. * 김시종의 말을 재인용함.

체득된 '그것'을 김시종은 품고 살아간다. 오직 바깥에서, 국가의 바깥, 민족의 바깥에서만 피워낼 수 있는 '그것'은, '나'조차 '나 자신'에서 분리되고 흩어지는 분열의 고통에서만 피어나는 불꽃일지도 모른다. 파농의 혁명적 파토스는, 카나파니가 행한 질문과 저항의 무한 반복과 닿아 있고, 사이드가 느낀 흐름과 자유의 한 형태와 닿아 있으며, 김시종의 가슴에 박힌 화석-언어와도 닿아 있다. '그것'은 마르티니크, 알제리, 팔레스타인, 이카이노를 비롯하여 지구 곳곳에 있는 모든 디아스포라의 삶과 죽음으로 일구어낸 디아스포라 문학의 핵(核)이다. '그것'은 쉽고 간단한 것이다. 이웃과 형제와 너에게서 '내'가 떨어져 흩어지지 않는 일이다. 다시 만나는 꿈이다. '그것'은 어렵지 않다.

20세기의 디아스포라

일본의 사상가 후지타 쇼조(1927~2003)는 「전체주의의 시대 경험」에서 세 가지 형태의 전체주의를 언급한다. 전쟁 형태의 전체주의와 정치지배 형태의 전체주의 그리고 생활양식에서의 전체주의가 그것이다. 독일 나치즘·일본의 총력전체제·이탈리아의 파시즘 등 전쟁 시기의 정치체제는 사회 전체를 군사조직화하여 '전쟁 형태의 전체주의'를 낳는다. '정치지배 형태의 전체주의'는 『전체주의의 기원』에서 한나 아렌트가 말한 바와 같이, 과거 역사에는 없었던 완전히 새로운 성격의 정치체제다. 후지타 쇼조는 '정치지배 형태의 전체주의'를 '정치지배의 종말적 형식'이라고 파악했다. 즉 '정치의 종말'과 다르지 않다.

그것[정치지배 형태의 전체주의]은 '난민'(displaced persons)의 생산 및 확대재생산을 (…) 근본방침으로 하는 것이다. (…) '난민'을 생산한다는 것은 무엇을 뜻할까? 무릇 '난민'이란 무엇일까? 그것은 '시민으로서 모든 법적 보호를 박탈당하든지 또는 상실한 자'이므로 '생산된 난민'은 물론 '박탈당한 자'이며 그들이 만약 조금이라도 '법적 보호'를 받을 생각이 있다면 '범죄자가 되는 길 이외에는 방법이 없다.' 다시 말하면 감옥법의 일정한 보호규정, 즉 최소한의 생존보장 규정에 의존하는 길 이외에는 어떤 법의 보호로부터 제외된다. 이처럼 사회 안에 있을 자리가 일절 허용되지 않는 존재가 '난민'이었다. 그러한 난민을 창출하기 위해서는 지금까지 시민권[주민권]을 가지고 있던 자를 법체계로부터 새로이 추방하지 않으면 안 된다. 이 같은 추방을 정치체제의 축으로 한다는 것은 그 정치체제의 중심을 추방 행동의 운동체로 만든다는 것을 의미한다.[27]

난민의 창출을 위해서는 당연히 추방 결정의 기준이 설정되어야 한다. 사회 안에 차별의 전통이 수립되고, 온갖 음모설이 창작되며, 이의를 인정하지 않는 독선이 만연할 때, 선별된 사람을 추방하여 '난민'으로 만드는 일이 일상적이게 될 것이다. "20세기는 전체주의를 낳은 시대"라고 후지타 쇼조는 말한다. 민족 · 국가 · 법 · 이념에 맞지 않는 사

---

27   후지타 쇼조, 『전체주의의 시대경험』(창작과비평사, 1998) 48쪽.

람이 선별되고, 그 선별 권한이 민족 · 국가 · 법 · 이념을 대표한다는 소수의 권력 집단에 부여되어 '추방'이 상시적으로 실행되는 체제가 '정치 지배 형태의 전체주의'다. 20세기의 디아스포라는 모두 이 형태의 전체주의체제에 의해 산출되었다.

나아가 20세기는 인간의 절멸을 기획하고 실행한 시대였다고 해야 한다. 정치의 종말을 넘어 역사의 종말, 인간 · 인류의 종말을 기획하고 실행한 시대라고 해야 한다. 19세기 중반, 유럽에서 인종주의와 배외주의를 기반으로 한 배타적 민족주의가 출현했다. 근대과학의 성과를 기반으로 마을 전체, 도시 전체를 한꺼번에 파괴할 수 있는 대량살상무기들이 각국에서 준비되었다. 제국주의가 출현하였고, 구 식민지들이 새롭게 정비되었다. 1910년대, 1차 세계대전이 유럽 전역을 휩쓸고 지나갔다. 전쟁을 혁명으로 전환하려는 기획은 좌절되었다. 1920~40년대, 독일 · 일본 · 이탈리아 등 후발 자본주의 국가들이 속속 제국주의 체제로 전환되면서 더 큰 규모의 세계대전이 시작되었다. 인류 초유의 사태가 일어났다. 국가기구 전체가 나서서 일련의 인간을 선별하여 수천만 명의 인간을 제거하고, 수억 명의 인간을 터전에서 추방하였다. 나치독일의 점령지, 스탈린체제의 소련과 위성 국가들, 일본제국주의가 점령한 동아시아 전역에서 그 일이 일어났다.

그뿐인가. 세계대전의 종식에도 불구하고 '정치지배 형태의 전체주의'와 '전쟁 형태의 전체주의'들은 고스란히 살아남아 1950~90년대 남아공의 아파르트헤이트, 영국과 프랑스의 식민지체제, 미국과 호주의 백인우월주의체제, 라틴아메리카·아프리카·아랍·아시아의 독재정권, 동유럽의 민족주의 권력 집단들로 이전되었다. 파멸을 일으킨 전쟁이 생존하려는 혁명을 압도하였다. 하지만 디아스포라는 끝끝내 살아남아 기억하고 저항했다. 대참사의 증언자로서 디아스포라 문학은 끊임없이 이어지고 있다. 일본에서 조선적(朝鮮籍)을 고수하며, 장편소설 『화산도』로써 4·3항쟁의 전모를 재구축한 김석범(1925~), 『보리스 다비도비치의 무덤』과 『죽은 자들의 백과전서』 등의 연작소설로 동유럽 디아스포라들의 운명을 기록한 다닐로 키슈(1935~1989), 『이민자들』·『토성의 고리』·『아우슈터리츠』 등으로 유럽 디아스포라의 상실감을 드러낸 W. G. 제발트(1944~2001), 비밀경찰을 피해 디아스포라의 길을 선택한 『저지대』의 작가 헤르타 뮐러(1953~) 등은 디아스포라 문학의 또 다른 증언자다.

21세기의 디아스포라 문학

21세기의 디아스포라 또는 디아스포라 문학은 어떤 성격, 어떤 형태를 띠고 있을까? 그것은 후지타 쇼조가 말하는 세 번째 전체주의, 즉 '생활양식에서의 전체주의'와의 깊은 연관에서 살펴봐야 할 것이다. 앞서 언급한 전쟁 형태·정치지배 형태의 전체주의와는 달리 얼핏 폭력성에서만큼은 벗어난 듯 보이지만, 후지타 쇼조에 따르면 '생활양식에서의 전체주의'는 "사실 그만큼 더 사회의 기초적인 차원에 달한 '근본적인' 전체주의"다. 전쟁이나 정치지배 차원의 전체주의는 국가·정치 권력에 의해 작동되어 물리적 폭력을 대규모로 행사하는 형태라면, 생활양식에서의 전체주의는 사회 부문의 다양한 '권력들'에 의해 사회·문화적 차원의 폭력들이 일상적이고도 전방위적으로 분출되는 형태라고 할 수 있다.

20세기의 디아스포라가 점령국의 초법적 강제력으로 삶의 공간에서 내쫓기면서 발생했다면, 21세기의 디아스포라는 '부문 권력들'의 정치 · 경제적 필요에 따라, 상시적 · 일방적으로 적용된 법적 기준에 따라 사회적 지위와 공간 점유권과 정보 접속권이 회수되는 형태로 발생한다. 지구 곳곳에서 선별과 추방, 즉 난민 재생산 시스템이 횡행되고 있다. 고용유연화, 세부 성과급제, 파트타임제, 임금피크제 등 직장생활과 생계를 매순간 괴롭히는 무수한 노동 세분화 규정은 '생활양식에서의 전체주의'가 이미 작동되고 있다는 증거다.

보이는 곳에서, 또 보이지 않는 곳에서 지금 이 순간, 무수한 사람들이 소득 금액과 수익성, 자본 축적 규모, 변제 능력에 따라 선별되고 내쫓긴다. 금치산자(禁治産者)로 판정되어 사회 바깥으로 밀려나며, 악성 연체자로 분류되어 외곽지점까지 밀려난다. 80년대에 출현하여 현재까지도 위력을 잃지않고 있는 신자유주의 정치 · 경제는 곧 '생활양식에서의 전체주의'다. 그것은 경제 지상주의로서 국가 · 정치 · 사회 · 문화 · 일상생활 전부를 '경제'로 포획하는 프로그램이다.

후지타 쇼조의 전체주의론을 오늘의 사회로 확장해 보면, 우리는 '미학적 양식에서의 전체주의'까지도 발견할 수 있다. 문학 · 예술의 생산과 유통이 자본 증식이라는 목표에 전면적으로 종속되어 있음을 발견할 수 있다. 독자와 관객과 시청자는 문화소비자일 뿐이다. 종교와 교육 영역으로 눈을 돌려보아도 사정이 크게 다르지 않다. 그것은 '윤리적 양식에서의 전체주의'일 뿐이며, 이미 신자유주의 프로그램에 따라 조직, 운영되고 있다는 걸 부정하기 어렵다. '자본'이 세상 모든 것의 상위에서 군림하고 있는 것이다.

21세기의 디아스포라는 다른 장소로 이동하지 않는다. 지금 있는 곳에서 밥을 먹다가 해고 통지 문자를 받고, 바로 디아스포라가 된다. 해고 통지를 받은 이는 생존 불능의 장소로 옮겨지는 게 아니라, 생활하던 그 자리에서 생존 불능의 상태가 된다. 화폐를 취득할 일자리가 없어졌으므로 생계유지에 필요한 현금은 더 이상 입금되지 않으며, 잔고가 바닥나면 퇴거 조치를 받는다. 이에 불응하면, 불법 점유자, 즉 범법자가 된다. 국가권력의 구심력에 의해 디아스포라가 양산되던 과거는, 화폐권력의 원심력에 의해 디아스포라가 양산되는 현재로 바뀌었을 뿐이다.

21세기의 디아스포라는 고향으로 돌아갈 수 없다. 고향은 이미 자본에 의해 변형되거나 소멸되었다. 흔적도 찾기 힘들 것이다. 외곽으로 밀려난 디아스포라는 무엇으로 살아야 하는가? '자기만의 방'을 안식처로 삼으면 되는가? 설령 '자기만의 방'을 얻었더라도 자신의 '감정과 논리'가 '미학적·윤리적 양식에서의 전체주의'에 침식되어 있다면, 그 방은 배타적으로 점유한 임시거처에 불과할 것이다. 지금 당장의 피로감을 해결하는 데 급급할 것이기에 같은 처지에 있던 타인에 관한 공감과 애정과 유대는 점점 소멸할 것이다. 그러므로 그 방에서 '문학'은 생겨나지 않을 것이다. '미학적 양식에서의 전체주의'는 더욱 강화될 것이다. 그것은 자본의 필요에 따라 생산된 미학적 양식으로, '감정'을 몇 가닥 모듈의 패턴으로 제작하여 소비 주체에 주입할 것이다.

그러므로, 핵심은 '감정'이다. 21세기의 디아스포라 문학은 '자기감정의 방'에서 태어난다. 그 문학은 어느 집단이 노력해서 만들 수 있는 게 아니다. 개인적으로, 사적으로 시작될 수밖에 없다. 그것은 어떤 특정 개인의 전형적 사례를 발굴하거나 개인 경험을 나열하는 데서 시작하는 것이 아니다. 그 문학은, 자신의 감정과 논리가 여러 가닥으로 분리된 채 사방에 흩어져 있지 않도록 애쓰고, 무엇이 진실한 '나의 감정'인지를 깨달을 수 있도록, 자신에게서 일어난 감정의 논리를 충실히 되짚어보는 데서 비롯될 것이다.

'어떤' 감정의 연원을 찬찬히 탐색한 결과, 감정(感情)이 늘 여럿의 감정들로 혼재되어 다발 모양임을, 감정이란 획일적으로 주입될 수 없는 다양체(多樣體)임을 21세기의 디아스포라 문학은 보여줄 것이다. 그 다양한 감정-다발 안에서 무수한 타인의 형상을 만나고, 감응의 순간을 발견하여 기록하고, 현재와 미래의 타인을 지향하며 저절로 자라난 감정의 가닥을 표현할 것이다. 그 언어는 고정되지 않으며, 개인감정에서 인류의 형상을 발견할 것이며, 낱말 하나, 문장 하나에서 21세기 디아스포라의 인간적인 생존이 다시 시작될 것이다.[28] 우리 주위에 거리로 쫓

---

28 이것은 들뢰즈와 가타리의 '소수 문학' 개념에서 착안하였다. "소수적인 문학의 세 가지 특

겨난 유령이 배회하고 있다. 그 유령의 이름은 디아스포라다. 나도 당신도 유령이다. 우리는 디아스포라다. 우리의 증언, 우리의 저항. 그것이 바로 디아스포라 문학이다.

징은 언어의 탈영토화, 개인적인 것과 정치적인 직접성의 연결, 언표행위의 집합적 배치다." - 들뢰즈 · 가타리, 『카프카-소수적인 문학을 위하여』(동문선, 2001) 48쪽.

사건, 주체, 문학

사건은 편향을 요구한다

우리에게 사건이라는 단어의 가장 익숙한 용례는 아마도 '사고'라는 단어와 함께 묶인, '사건·사고'라는 분류 안에서의 그런 사건일 것이다. 어떤 범죄적 행위에 관련된 일들을 말하는 그런 사건 말이다. 그런 의미에서의 사건을 다루는 여러 TV 프로그램들은 대체로 일련의 어떤 사건들 속에서 사건의 진실은 무엇인가 하는 식으로 많이 전개된다. 거기서 진실은 진상, 진범 정도를 뜻하는 용어인 것이다. 일상어에서 '사건'은 그 용례가 사회적이고 법적인 의미에서의 사건인 경우가 대부분이다. 사건이라는 단어를 이렇게 쓸 때, 이 단어가 주는 어감에는 사건이라는 것 자체가 객관적이라는 느낌이 분명 같이 있다. 그 느낌에는 우리 인간이 사건에 대해 할 수 있는 일은 이미 일어난 것에 대한 반응일 뿐이라는 생각도 뒤따른다. 우리의 인식 너머로 이미 존재하는 어떤 사실들을 중요성에 따라 추려낸 것이 사건이라고 생각하게 되는 것이다.

그런데 사실 사건이란 어떤 시공에서 일어난 것, 이벤트(event) 그 자체를 뜻하는 말이다. 물론 각 학문과 분야 간엔 세계를 어떻게 바라보느냐의 방법론부터가 다른 까닭에 물리학적인 의미에서의 사건, 철학적 의미에서의 사건, 사회학적 의미에서의 사건, 역사적 의미에서의 사건들로 세세하게 구분하기도 한다. 그런데도 사건이라는 말로 한데 묶어주는 공통적인 의미는 바로 무언가가 일어났다는 상황 자체이다. 계속 되돌아오는 파도에 돌이 깎여나가 절벽이 되고, 단층들이 서서히 움직이다가 서로 부딪혀 산을 만드는 그런 일들까지도 사건이라고 할 수 있다. 중요한 것은 무언가가 일어난 그 상황을 인지한 누군가가 있다는 것이다. 무언가를 사건이라고 말하기 위해, 그리고 그 사건에 대해서 더 많은 이야기를 하기 위해 필요한 일차적인 전제가 바로 그것이다.

무엇인가 일어난 그 상황을 인지한 이들, 그들이 바로 주체들이다. 주체에도 여러 차원의 주체가 있다. 개인인 주체와 집단인 주체로 나눌 수도 있고, 주체가 그 상황을 어떻게 인지하느냐에 따라 개인사의 측면에서 주체, 그리고 사회·역사적 의미에서의 주체로 나눌 수도 있을 것이다. 주체가 어떠한 입장과 자세를 가졌는지 그래서 어떤 태도로 상황들을 감지하는지에 따라 사건의 성격도 변한다. 주체가 늘 어떤 성격을 띠듯 사건도 늘 어떤 성격을 띤다. 그렇듯 사건엔 주관성이 내포되어 있다. 그 주체가 개인이든 집단이든 주체는 자신의 입장과 자세에 따라 사건에 특정한 태도를 취할 수밖에 없다.

즉 주체는 사건에 단지 반응하기만 하는 위치가 아니다. 주체는 사건 속 진실을 찾아내려고 부단히 노력하는 존재다. 그 노력이 단지 반응적인 것만은 아니다. 오히려 어떤 주체의 마음속에서, 혹은 주관이나 이해관계가 다른 주체들끼리 무엇이 진실인가 하고 해석과 논쟁을 거쳐 충돌하는 것 그 자체가 사건이다. 진실을 다루는 일은 그 자체로 주체가 개입하는 것이기 때문이다. '일어난 것'들을 선택하여 축소하거나 확대하고, 잘라내거나 덧붙이는 행위는 주관적일 수밖에 없다. 그리고 그건 주체가 어느 편이든지 그러하다. 진실은 어떤 편에 속하면서 매번 변화한다. 진실의 편은 영구불변일 수 없다.

그렇다고 진실이란 무의미하고, 추구할 게 못 된다는 뜻은 아니다. 진실 역시 세상의 많은 것처럼 변한다. 주체 역시 변화 속에 산다. 진실의 변화를 승인할 때, 진실은 상호주관적인 것이 된다. 여러 차원의 주체들이 활발히 개입하여 무엇이 옳은지를 고민하고 논쟁하며 불화(mésentente)[1]를 겪은 끝에 간신히 건져 올리는 알갱이가 진실이다. 진

---

1   진태원 : "불화는 (…) 랑시에르 정치철학을 대표하는 개념이기도 하다. 우리가 '불화'라고 옮긴 '메장탕트'라는 프랑스어는 두 가지 의미를 지니고 있다. 하나는 듣지 못하고 알아듣지 못한다는 뜻이다. 프랑스어에서 '앙탕드르'(entendre)라는 동사는 '듣다'와 '이해하다'는 두 가지 뜻을 지니고 있으며, 명사형인 '앙탕트'(entente) 역시 '듣기'와 '이해하기'라는 뜻을 지니고 있다. 따라서 이 명사의 부정형인 메장탕트는 듣지 못하고 이해하지 못함을 의미한다. 다른 한편 메장탕트

실은 원형 그대로 묻혀 있는 화석을 캐내듯 발견되지 않는다. '사건'이라는 탄소 덩어리에 '주체'가 무수히 개입하여 다이아몬드로 가공해낸 것, 그것이 진실이다. 문학에서의 진실은 문학적이면 되며 아름다우면 되는 것이다.

어떤 사건을 문학으로 만들고 싶은 어떤 작가/시인이 있다. 그들은 사건을 탐구하면서 본질을 획득하고 현상을 재배열하여 문자화하려는 욕망으로, 사건에 개입하려는 의도를 지닌다. 탐구는 주체와 대상을 분리시킴으로써 가능하다. 사건이라는 대상과 거리를 두는 주체의 위치가 설정되더라도 어렴풋한 사건의 본질을 뚜렷하게 파악하는 과정은 어렵다. 사건의 전말을 알려줄 정보와 지식을 꼼꼼히 갈무리하는 작업이 필요하기 때문이다. 검토와 분석 그리고 종합적인 해석의 과정도 만만치 않을 것이다. 어렵게 성취해 낸 탐구 결과는 재료/질료가 된다. 그 이후의 작업은 더 어렵다. 형상을 부여하는 작업은 장인으로서의 기술을 발휘해야 하기 때문이다. 만족할 만한 작품을 탄생시키려면 검토 작업에 비해 훨씬 높은 수준의 집중력과 인내력, 창의력이 요구된다.

그런데 사실 창작의 어려움은 무엇보다 사건을 대상화하는 데에서 이

는 '논쟁'이나 '갈등'이라는 또 다른 의미를 지니고 있다. '고부간의 갈등'을 말할 때…, 고용인과 피고용인 간의 갈등'을 말할 때… 사용된다. 이 두 가지 의미를 모두 지니고 있기 때문에, 메장탕트라는 프랑스어를 다른 나라말로 옮기는 것은 쉽지 않고, 어떤 의미에서는 불가능하다." _ 철학자 진태원의 블로그(http://blog.aladin.co.kr/balmas/6308305)에서 인용함.

미 시작되었다. 작가/시인 자신이 어떤 사건에 주체로 개입/기입되지 못하면 못할수록 창작은 그만큼 더 힘들고 어렵게 된다. 위와 같이 주체(작가)와 대상(사건)이 분리된 채 고통스러운 작업의 결과로 얻어진 작품이 급기야 특별한 활기와 감응력을 지니지 못한다면, 작업이 끝난 후 작가/시인의 고통은 더욱 배가될 것이다.

해결책은 다시 시작하는 수밖에 없다. 사건과 분리된 주체는 사실 '의사(pseudo) 주체'였을 뿐이다. 주체로서의 작가이고자 한다면, 사건에 개입된 주체로서 사건 내 존재여야만 한다. 철학자 알랭 바디우 역시, "진리들과 관련되는 모든 것에 있어서는 '만남'이 있어야"[2] 한다고 본다. 문학적 진실과 관련된 모든 것은 '만남'에 달려 있다. 작가/시인이 무한히 쓰게 할 심장의 동력은 지식·정보의 습득으로 얻어지는 것이 아니라, 만남을 경유하여 작가/시인이 직접 사건 안에 들어앉을 때 발생한다.

만남의 충격으로 생긴 "내면적 단절의 궤적"(바디우)을 따라 '나'는 사건 안으로 흩어져 녹아 들어가며, 자신의 주체적 경향성이 불분명하더라도 사건의 흐름과 진폭에 따라 언제든 사건 내부로 소환된다. 어떻든 문학적 진실의 구성에 참여하는 문제는 오직 자신의 결단에 달려 있을 뿐이다. 작품은 사건에 참여한 작가/시인의 일관된 충실성과 구체적 정황에 의해 비로소 준비된다. 그렇다면, 작품은 오랜 작업의 결과물이기

---

2 알랭 바디우, 『윤리학』(동문선, 2001) 66쪽.

보다는, 사건의 또 다른 분출이자 표현인 셈이다. 그렇게 사건 내 존재인 작가/시인은 '잠재된 작품'이 된다.

작가 주체의 두 가지 길

염상섭이 26세에 쓴 『만세전(萬歲前)』[3]은 사건에 참여한 작가의 일관된 충실성과 구체적 정황에 따라 분출된 작품으로 보기에 충분하다. 주인공 이인화는 아내가 위독하다는 전보를 받고 마지못해 귀국길에 오른다. 마음에 두고 있는 카페 여급 시즈코[靜子]를 찾아가고, 괜히 고베[新戶]에 내려 유학생 을라를 찾아간다. 시모노세키[下關]에서 이인화는 검문을 받

---

3   『만세전』은 원래 「묘지(墓地)」라는 제목으로 〈신생활〉 1922년 7월호에서 9월호까지 3회 연재되었다. 3회차는 총독부의 검열로 모두 삭제되어 실제 연재된 것은 2회까지다. 2년 뒤 〈시대일보〉에 「만세전」이라는 제목으로 1924년 4월 6일부터 6월 7일까지 총 59회에 걸쳐 다시 연재되었다. 연재 종료 후인 1924년 8월 고려공사에서 한 권의 책으로 묶여 출간되었다. 1919년 3월 만세운동의 위력에 의해 일제의 무단통치가 문화통치로 전환되면서 재연재와 출간이 가능했던 것으로 추정된다.

는다. 형사는 본적과 나이와 학교는 물론 왜 가는지, 어디까지 가는지 위아래를 훑으며 꼬치꼬치 묻는다. 불쾌한 기분을 풀 겸해서 선내 목욕탕에 들른 이인화는 우연히 두 일본인의 대화를 듣게 된다. 이인화는 깜짝 놀란다. "그 불쌍한 조선 노동자들이 속아서 지상의 지옥 같은 일본 각지의 공장과 광산으로 몸이 팔리어 가는 것이, 모두 이런 도적놈 같은 협잡 부랑배의 술중(術中)에 빠져서 속아 넘어"[4]갔다는 걸 안 것이다. 선내 경찰서의 호출을 받아 가방 뒤짐을 당하는 이인화는 갑판에 나와 분한 마음에 눈물을 흘린다.

부산에 도착해서도 예의 검문을 받은 이인화는 몇 년 새 자취가 몹시 달라진 부산의 모습에 마음이 착잡하다. 예전엔 그저 스쳐 지나간 것이기만 했던 거리가, 사람들이, 공기가, 그렇게 '조선'이… 이인화의 눈으로, 몸과 마음으로 들어선다. 이후, 열차 안팎에서 무심하게 보고 듣는 풍경과 정황들이 더 이상 무심하지 않다. 세속에 찌든 김천 형님 내외, 열차에서 일경에게 끌려간 영동 갓 장수, 아이를 업은 채 포승줄에 묶여 있는 아낙네, 남대문 앞 갈길 몰라 우두커니 섰는 어린 기생. 1918년 겨울을 배경으로 『만세전』은 일제의 무단통치에 시달리는 조선의 단면을 날카롭게 드러낸다. 비평가 최원식은 『만세전』을 "3·1운동이 왜

---

4   염상섭, 『만세전』(창작사, 1987) 54~55쪽.

폭발할 수밖에 없었는가를 절실히 묘파한 가장 뛰어난 문학적 보고"[5]
라고 평가한다.

작중의 이인화는 작가의 자전적 모습이 일부 투영되었으나, 작가 염
상섭(1897~1963)은 '이인화'보다 훨씬 강렬한 주체다. 즉 염상섭은 사건
내 존재로서, '주체로서의 작가'다. 염상섭은 도쿄와 오사카를 중심으
로 재일조선인의 만세운동을 조직하고 선언문을 작성하는 등 1919년
3·1운동을 주도한 실천적 청년이었다. 염상섭에게 3·1운동은 이후
자신의 전 생애를 관통하는 삶의 지표이자 주체로서의 작가이게끔 하
는 동력이 되었다. 연구자 이종호는 "3·1운동을 통해서 그의 삶과 문
학은 마지막 순간에도 사건으로서 생성되고 있다고 할 수 있을 것"[6]이
라고 해석했다.

3·1운동(『만세전』)에서 시작하여, 20~30년대 식민통치에 맞선 저항
운동(『삼대』), 45~48년 해방기(『효풍』), 6·25전쟁(『취우』), 전후의 사회풍
경(『일대의 유업』)에 이르기까지 굵직굵직한 역사적 사건에 눈을 떼지 않고
늘 자신의 작품으로 표현하였던 작가 염상섭은, 사건과 주체의 관계를
선명하게 드러내는 작가 주체로 꼽기에 부족함이 없다. 암울한 시대 현
실을 타파하려는 작가적 소명의식을 가졌던 염상섭이 '사건 내 존재'[7]

---

5   염상섭, 위의 책, 「해설(최원식)-식민지 지식인의 발견여행」 189쪽.
6   이종호, 「염상섭 문학의 대안근대성 연구」(성균관대 박사논문, 2017) 113쪽.
7   '사건 내 존재'는 하이데거의 『존재와 시간』, 레비나스의 『시간과 타자』·『존재에서 존재자

가 된 것은 의지적 단련의 산물이다.

그러나, 그런 의지나 목적의식을 갖추지 못한 채 '사건'에 휩쓸려 들어가 평생 그 사건의 파장에서 벗어나지 못한 작가/시인도 있다. 그 역시 '사건 내 존재'임을 부정할 수는 없을 것이다. 프리모 레비(1919~1987)는 바로 그런 작가였다. 이탈리아 토리노 출신인 그는 청년 시절 반파시즘 유격대 활동을 하다가 1943년 12월 3일 체포되어 나치수용소에 수감되었다. 1945년 10월, 집으로 돌아온 그는1987년 자택에서 스스로 목숨을 끊을 때까지 틈날 때마다 1년 남짓했던 아우슈비츠 체험을 40여 년 동안 계속 기록하고 증언하였다. 화학자이자 화학 기술자였던 그는 『이것이 인간인가』(1947), 『휴전』(1963), 『지금 아니면 언제?』(1982), 『가라앉은 자와 구조된 자』(1986) 등과 같은 증언문학을 발표하였다. 1986년 7월 어느 날, 레비는 일간지 〈라 스탐파〉와의 인터뷰에서 이렇게 말한 바 있다.

그[프리모 레비]는 『가라앉은 자와 구조된 자』의 첫 페이지를 펼쳐 들었다.

콜리지의 시구, "그때 이후, 불확실한 시간에 고통은 되돌아온다……"가 적힌

로』, 바디우의 『존재와 사건』에서 착안한 개념이다. 시간(하이데거)과 타자(레비나스)는 다수의 존재와 불특정의 사건(바디우)를 구성한다. 바디우는 사건과 존재의 공백을 탐색하는 작인(agent)을 '주체'라고 부른다. '사건 내 존재'는 바디우가 말하는 '주체'와 다르지 않다. 특히, 이 글에서 반복될 '사건 내 존재'라는 개념은, 구체적으로 '작가 주체' · '시인 주체'로서 개인적 · 집단적 사건에 개입 · 기입 · 연루된 작가와 시인을 뜻한다.

페이지이다. 그는 첫 단어들을 강조했다.

"불확실한 시간에, 가끔은…… 제가 이 세계 속에서 사는 것은 아니에요. 그러지 않았다면 『멍키스패너』를 쓰지 못했을 거고, 가정도 꾸리지도 못했을 겁니다. 제가 좋아하는 많은 일들도 못하겠지요. 하지만, 불확실한 시간에 그 기억들이 돌아오는 것은 사실입니다. 저는 상습범이지요."

아우슈비츠의 자취는 사라지지 않는다. 한 인간의 삶 속에서, 세계의 역사 속에서.[8]

'아우슈비츠'라는 사건은 수시로 그를 사건의 주체로 소환하였다. 좋아하는 사람들과 좋아하는 일들에 파묻혀 좋은 시간을 보내다가도 "불확실한 시간에 그 기억들이 돌아오는 것"이다. 레비는 그 시간을 '무젤만의 시간'이라고 불렀다. 레비처럼 아우슈비츠를 겪은 작가 장 아메리(1912~1978)는 '무젤만'을 이렇게 설명한다. "스스로를 포기하고 동료들에게 포기 당한 수감자를 칭하는 수용소 용어인 이른바 '무슬림(Musellmann)'은 선과 악, 고상한 것과 비천한 것, 정신적인 것과 비정신적인 것이 마주할 수 있는 의식의 공간을 더 이상 갖지 못했다." 아메리는 이들 '무젤만'이 형체만 인간의 형상일 뿐, 인간의 속성은 모두 제

---

8 「프리모 레비 인터뷰-이해하는 것이 용서하는 것이 아니다」, 『가라앉은 자와 구조된 자』(돌베개, 2014) 260쪽.

거된 "움직이는 시체"요, "꿈틀거리는 물리적 기능의 다발"이라고까지 말했다.

프리모 레비는 시체 역시 시체라고 불릴 수 없는, "나치 친위대가 [가스실에서 꺼낸] 그 시체들을 피구렌(figuren), 즉 '형체'라고 부른", 그래서 "죽음이 죽음이라 불릴 수 없는"[9] 이 정황을 사는 동안 계속해서 '증언' 하고 또 하였다. 철학자 조르조 아감벤은 레비의 증언을 다음과 같이 평가한다. "비인간은 인간보다 더 오래 살아남을 수 있는 자이며, 인간은 비인간보다 더 오래 살아남을 수 있는 자이다. (…) 비인간적인 것을 견디고 살아남은 증인의 능력은 인간보다 더 오래 살아남는 이슬람교도[무젤만]의 능력에 의지한다. 끝없이 파괴될 수 있는 것은 끝없이 살아남을 수 있는 것이다."[10] 인간에서 비인간으로, 다시 비인간에서 인간으로 되돌아온 사람의 이 증언은, 인간의 조건과 인간과 비인간 사이의 경계에 대한 인류사적 언표(énoncé)[11]다. 레비의 증언 자체가 '사건'이다.

앞의 염상섭이 비상한 기억력과 합목적적 의지로 자신을 단련해 온 것이라면, 프리모 레비는 좀처럼 지워지지 않는 기억과 무의지 상태에

---

9   조르조 아감벤, 『아우슈비츠의 남은 자들-문서고와 증인』(새물결, 2012) 106쪽.

10   조르조 아감벤, 위의 책, 223쪽.

11   미셸 푸코의 개념. "(푸코에 의하면) 언표(言表)들, 담론들은 그 자체로서는 연구될 수 없고, 늘 외부성, 다시 말해 실천과 더불어 연구될 수 있는 것이다. 그러므로 언표는 어떤 의식 주체가 생산한 성찰의 언어적 표현이 아니다. 언표는 실존하는 것이며, 사건이다." - 디디에 오타비아니, 『미셸 푸코의 휴머니즘』(열린책들, 2010) 28쪽.

이끌려 불가피한 증언의 주체로 단련된 것이다. 염상섭의 3·1운동과 프리모 레비의 아우슈비츠는 언제든 작가 주체를 사건의 중심으로 이끌었다. 한편, 염상섭과 레비의 문학은 또 다른 '사건'을 예비한다. 이들의 작품을 읽음으로써 또 다른 만남, 어떤 접촉, 새로운 촉발이 생겨나고 있음을, 우리는 감지한다. 더불어 우리 자신의 미미해 보이는 사건만으로도 자유와 평등, 인간과 비인간, 정의와 평화 등 어떤 주제든 표현할 수 있다는 걸 인지한다. '내면적 단절의 궤적'이 충실히 따라간다면, 스스로 '사건 내 존재'임을 강렬히 깨닫는 순간이 도래한다면, 충분히 가능한 일이다.

주체를 만들지 못한 사건, 사건을 움켜쥘 수 없는 주체

1945년 8월 15일, 36년이라는 굴욕의 시간을 걷어내고 마침내 조선은 해방(解放)되었다. 수많은 피와 땀을 바쳐 쟁취한 '8·15'라는 역사적 사건은 역시 수많은 주체를 요구했다. 오래 숨죽였던 문학인들이 민족문학의 재건을 위해 힘차게 활동하였고, 왕성한 필력을 발휘하였다. 이들의 글들을 실어나르는 잡지들도 속속 창간되었다.

그중 하나인 『대조(大潮)』 창간호(1946년 1월호)에는 '창간특집 좌담' 한 꼭지가 실려 있다. 제목은 「벽초 홍명희 선생을 둘러싼 문학담의(文學談議)」이며, 참석 문인은 홍명희, 이태준, 이원조, 김남천 등 네 명이었다. 홍명희(1888~1968)는 『임꺽정』의 작가이자 1927년 신간회 창립을 주도한 사회운동가로, 후배 문인들의 존경을 한몸에 받는 선배 작가였다. 이태준(1904~1970?)은 당대 최고의 문장가로 꼽히는 소설가였으며, 이원조(1909~1955?)는 문학평론가이자 이육사의 동생으로 유명했고, 김남천(1911~1951?)은 비평가이자 소설가로서 임화와 함께 해방 이후 민족문학 재건 운동의 구심 역할을 했다. 참석자 모두 문학가동맹의 핵심 성원이었다.

좌담이 이루어진 시기는 1945년 겨울로 추정된다. 주제는, 작가와 기질, 『임꺽정』과 조선 정서, 소설적 역사와 역사소설, 고전문학의 계승, 한자폐지, 한글 횡서, 계몽운동과 작가의 임무, 신진 양성과 출판기관의 역할 등 문학과 관련된 내용이었다. 이야기를 나누던 중, 이들은 '작품과 작가의 거리'에 관하여 토론하게 되었다.

홍명희 작가와 작품과의 거리가 멀어서야 참된 작품이 나올 수 없지. 그 거리가 가까워지자면 그 작가의 신시얼리티에 달린 것이니까. 「8·15」의 작가가 여기 앉아 계시지만, 「8·15」를 쓴다는 소식을 듣고 나는 너무 빠르지 않을까 하고 생각했소. 작가는 군중 속의 한 사람으로서 그 광경을 볼 게 아니라, 언제나 관조적인 태도로 검토하고 비판해야 할 것인데 상당한 시간이 경과해야만 검토하고 비판하도록 작자의 머리가 냉정해질 것 아니오. 「8·15」는 정녕코 실패하리라고 생각하는데. (일동 笑)

김남천 요는 현실의 물결 속에 앉아서 작가가 그 물결에 휩쓸리지 않고 얼마나 냉정하고 비판적인 관찰을 할 수 있는가가 문제이겠지요.

(…)

김남천 작가가 작품을 쓰는 데는 실천하지 않더라도 상상력과 체험을 살려서 쓰는 것인데 문제는 체험의 중량에 있겠지. 같은 사선(死線)을 넘으면서도 위대한 체험을 얻는 이도 있는 반면에 아무것도 정신적으로 습득하지 못하는 자도 많으니까.

홍명희 체험 이전의 중요한 요소로 정신적인 준비도 있어야 하고.

김남천 8월 15일 이후에 새로운 사상이나 세계관을 가져야겠다는 의미에서는 나는 아무런 새로운 정신적 준비도 필요치 않았습니다.

홍명희 글쎄, 내가 말한 정신적 준비라는 것은 그런 의미가 아니라……

김남천 「8·15」를 8월 15일 직후에 쓴다고 현상을 그르치지는 않는다고 생각해요.

홍명희 현상을 그르친다기보다 8·15 이후의 생활다운 생활이 아직 없다고 볼 수 있으니 문제는 거기에 있겠지.

김남천 저도 물론 대작이 되리라고 기대하고 있진 않습니다.[12]

이 논의의 대상인 「8·15」는 김남천의 『1945년 8·15』[13]로서, 45년

---

12 「좌담-벽초 홍명희 선생을 둘러싼 문학담의」(대조, 1946. 1), 『벽초 홍명희와 『임꺽정』의 연구자료』(사계절, 1996) 200~201쪽.

13 이 작품의 문학사적 의의에 따라, 계간 『작가들』 편집주간이었던 이희환의 책임편집을 거쳐 한 권의 단행본으로 출간되었다. * 김남천 작·이인성 삽화, 『1945년 8·15』(도서출판 작가들, 2007. 8)

10월에 창간된 〈자유신문〉의 창간 기념으로 기획 연재된, 해방 이후 최초의 장편소설이자 신문연재소설이다. "전 조선 각지에 구속되어 있는 정치범을 즉각 해방하라!"를 첫 문장으로 하는 이 소설은 진보적인 청년 박문경과 김지원을 중심으로, 매판자본가 이신국과 친일파로 변절한 최진성, 영등포 공장노동자들의 지도자인 황성묵, 이들 사이에서 부침을 거듭하는 김광호, 이경희, 박무경, 이정현 등을 등장시켜 해방 이후 조선의 진로를 둘러싼 여러 계층의 운동과 갈등을 그려낸 작품이다. 1945년 10월 중순부터 이듬해 6월 말까지 연재되다 중단되어 미완의 작품이 되었지만, 해방 정국의 급박한 정황을 생생히 드러낸 기록문학으로서의 가치를 지닌다.

그런데, 위 좌담에서 홍명희는 8·15를 작품화하기에는 너무 빠르지 않은지 우려한다. 어떤 사건을 작품으로 만들려면 사건과는 거리를 두어 관조하면서 상당한 시간을 들여 충분히 검토, 비판해야 한다고 보는 것이다. 10여 년 동안 『임꺽정』을 집필한 경험이 있는 홍명희로서는 충분히 개진할 만한 의견이었다. 해방된 지 두 달 만에 「8·15」 연재가 시작되었으니 말이다. 하지만 당사자 김남천은 현실의 물결에 휩쓸리지 않고 냉정하게 비판적 관찰을 할 수 있다면, 충분히 쓸 수 있는 것이라는 취지의 발언을 한다.

이 두 사람의 발언에서 흥미로운 점은 사건과의 거리에 관한 진술이다. 홍명희는 '사건과 거리를 두어 관조'하기를 바란다면, 김남천은 '현실의 물결 속에 앉아서', 즉 사건 한복판에서 써야 한다고 주장한다. 더 추리하면, 홍명희는 김남천에게 작가 주체로서의 역량이 충분한가를 '암묵적'으로 문제 제기한 것이며, 김남천은 '체험의 중량'을 재료 삼아 창작할 의지와 역량이 충분하다고 답하는 것이다. 창작에 있어 사건을 관조하는 방법과 사건에 참여하는 방법이 대립하는 양상이다.

하지만 시간은 이들을 기다려주지 않았다. 1946년 6월, 미소공동위원회가 결렬되면서 좌익 경향의 운동세력에 대한 미군정의 압박과 검거가 본격화되었다. 조선문학가동맹의 핵심 역할을 맡고 있던 김남천은 조직활동과 창작을 병행할 수 없었다. 더욱이 8·15라는 사건에 수많은 집단 주체들이 개입하여 헤게모니 싸움을 벌이는 터라, 새 조선이 어떻게 만들어질지, 나아가 새 조선 자체가 만들어질 수 있을지 아무도 예측할 수 없었다. 연재는 중단되고, 작품은 미완으로 그쳤다.

시간이 지날수록 김남천도, 또 홍명희나 이태준, 이원조도 사건의 거대한 물결에 휩쓸릴 뿐이었다. 사건에 개입하면 할수록 이해관계가 다른 주체 간의 갈등은 조금도 좁혀짐이 없이 격차는 더욱 커져만 갔다. 홍명희가 말한 '8·15 이후의 생활다운 생활'은 점점 멀어졌고, 급기야 5년 뒤에는 남북 간의 내전(內戰)이 터져 생활여건 자체가 초토화되고 말았다.

전쟁이 끝난 1953년에는 좌담에 참석했던 이들의 운명조차 극명하게 나뉘었다. 홍명희는 이북 정부의 부주석까지 되었지만, 김남천과 이원조는 남로당 건으로 구금된 후 생사를 확인할 수 없게 되고, 이태준 역시 그 행적이 분명하지 않게 되었다. 이들을 비롯하여 일제하 36년을 피땀으로 견뎌낸 수많은 주체적 역량들이 단 8년 만에 대다수 멸실(滅失)되었다. 주체가 사라졌으므로 사건의 동력도 사그라들었다. 8 · 15는 더 이상 주체가 개입할 수 없는 견고한 사실로 경직되어 갔다.

일제시대와 해방공간에서 사회주의 주체들이 산출한 작품들도 빠르게 사라졌다. '열독(閱讀) 금지도서'라는 낙인이 찍혀 도서관의 지하 서고, 경찰의 압수 물품 보관창고, 변두리 고물상, 개인 서재 등으로 속속 옮겨져 오랫동안 유폐되었고, 극소수만이 접촉할 수 있는 비밀의 사물이 되었다. 그 결과, 한국문학은 반쪽이 되었다. 일제강점기 최대 · 최고의 장편소설 『임꺽정』은 그 문학성을 진단받지 못하였고, 김남천과 이원조의 비평 또한 소수 연구자의 시야에만 포착될 뿐이었다. 모더니즘 시의 역사적 맥락에서 빼놓을 수 없는 임화나 오장환의 시편들도 제자리에 있지 않았다.

이 거대한 공백 지대 위에, 이광수와 김동리와 조연현, 최남선 · 유치환 · 노천명 · 모윤숙 · 서정주 등의 문학만이 군림할 따름이었다. 50년대로부터 90년대에 이르기까지 냉전(cold war)은 분단 체제(體制)를 구축, 고착시켜 개인의 상상과 인식과 실천을 검열하고, 구속하고, 제거하였다. 조선총독부 체제의 법제와 공권력 그리고 사회제도와 식민지문화를 그대로 물려받은 분단 체제는 민주주의와 민족주의의 탈을 쓰고서 군사독재와 개발독재로 나아가고 있었다. 역시 사건은 편향을 요구하였다. 요구를 넘어 편견과 왜곡과 파괴가 강제되고 있었다. 분단과정에서 일어난 비극적 참사들, 비극을 증언한 작품들의 존재, 창작 주체를 만나지 못한 금단의 영역들, 극단적 편향에 의해 왜곡된 사건들은 활발한 개입으로 발굴되고 회복되어야 할 문학사적 사실이다.

매장되고 유폐된 사건을 재소환하는 작업은 우리의 몫이다. 다시 처음부터 반복하되, 가지 않았던 길을 선택할 필요가 있다. 다시 '현재적 사건'으로 재조명할 주체가 필요하다. 소환할 사건은 무한하며, 다시 만나야 할 그때의 주체 역시 무한하다. 옛 사건의 옛 주체들이 어떻게 세상을 떠나게 되었는지, 또 이들의 생사는 어떻게 되었는지 반드시 상세히 알아야만 한다. 사건이 주체를 만들지 못하고, 주체 또한 사건을 움켜쥘 수 없다면, 우리의 문학은 늘 미완으로 그칠 것이다.

죽음의 사연과 최종 행적은 애도의 기초작업이다. 그것이 아니면, 눈앞에서 일순간 사라진 이들을 놓을 수 없다. 한 생(生)의 종착지점을 확인해야만 우리는 그곳에, 그때에 마음을 부려놓고 통곡하고 분노하고 애도할 수 있다. 사랑한 이들 기억하며 슬퍼할 수 있다. 그렇게 한 연후에야만 비우고 다시 채울 수 있다. 생사 확인과 원인을 알지 못하게 되면, 살아남은 이들은 회색지대를 배회하게 된다. 삶도 죽음도 아닌 제3영역에서 서성거릴 수밖에 없다. 레비의 경우와 같이 '무젤만'의 시간을 배회하게 될 것이다.

사건과 주체의 복원

역사는 반복된다. 1960년 4월 혁명은 일군의 작가/시인들을 탈각(脫殼)시켜 새로운 주체로 서게 했다. 4월 혁명의 완수를 기원하는 시편들이 왕성하게 창작되었다. 「육법전서와 혁명」·「기도」·「푸른 하늘을」의 김수영(1921~1968), 「아! 신화같이 다비데군들」의 신동문(1927~1993), 「껍데기는 가라」·「4월은 갈아엎는 달」·「술을 마시고 잔 어젯밤은」의 신동엽(1930~1969)이 그 선두에 섰다. 60년 후반에 발표된 최인훈(1934~2018)의 『광장』은 친일파를 기반으로 구축된 이승만 정권과, 혁명을 배반하고 수립된 김일성 정권이 가진 태생적 한계를 적시하며 분단 문제를 정면으로 돌파했다. 사건과 주체가 서로 깊이 연루되기 시작했다. 혁명의 진로에 따라 일제강점기와 해방기, 1950년의 전쟁과 분단,

권력의 부패와 실정에서 비롯된 산적한 문제들을 하나하나 헤쳐나갈 작가/시인들이 속속 출현했다.

1961년 5월의 쿠데타는 혁명을 유산시키며, 사건과 주체의 복원을 가로막으려 했다. 그러나 4월 혁명으로 점화된 민주주의 운동은 이미 작가/시인의 내면에 굳게 자리 잡았다. 1965년 『현대문학』에 발표된 남정현(1933~2020)의 소설 「분지(糞地)」는 그러한 사실의 뚜렷한 전범이다. 박정희 정권이 작가를 반공법 위반 혐의로 구속·기소하면서, 헌법에 보장된 사상·표현의 자유를 무단으로 침해한 필화사건으로 비화하였다. 하지만 이미 민주주의 혁명의 희열을 맛본 작가/시인은 이에 굴하지 않고 용감하게 금기에 도전하였으며, 이들의 창작 활동은 냉전 체제의 분단된 상상력을 해체하는 데 크게 기여하였다.

70~80년대에 작가/시인들은 민주주의 회복을 위한 투쟁에 더욱 바짝 다가섰다. 김지하의 장시 「오적(五賊)」(1970), 양성우의 시 「겨울 공화국」(1975)과 「노예수첩」(1977)은 날카로운 비판 정신과 정치적 상상력으로써 박정희 유신독재에 정면으로 맞섰다. 소설가들도 이에 뒤지지 않았다. 현기영의 「순이 삼촌」(1977)은 분단 이래 처음 제주 4·3을 지면에 드러내고, 황석영의 『객지』(1974), 윤흥길의 『아홉 켤레 구두로 남은 사내』(1977), 조세희의 『난장이가 쏘아올린 작은 공』(1978)은 산업화의 그늘에서 고통받는 노동자와 도시 빈민의 생활 실태를 거침없이 폭로하였다. 신경림의 『농무』(1973)와 이문구의 『우리 동네』(1977)는 근대

화라는 미명 아래 파탄지경에 처한 농민들의 실상을 그대로 드러냈다.

79년 가을에서 80년 봄 사이, 대통령이 총격을 받아 사망하고, 군부 쿠데타가 있었고, 시민들의 전국적 반대시위가 있었다. 신군부는 광주 시민을 '빨갱이'로 몰아 학살했다. 6·25전쟁에서, 보도연맹 학살에서, 베트남전쟁에서 보았던 방식이었다. 2천여 명의 무고한 시민을 희생시킨 일련의 군인들이 5·16에서처럼 다시 국가권력을 탈취했다. 보안사를 앞세워 저항의 기미를 제거하고 전국을 공포 분위기로 몰아가려 했다.

하지만 '80년의 봄'을 빼앗길 수 없었던 작가/시인들은 전열을 가다듬어 사건 내 존재로서 더욱 용맹하게 나섰다. 먼저 80년 5월 광주의 참상을 알리는 작업에 돌입했다. 김준태의 시 「아아 광주여! 우리나라의 십자가여!」(1980)를 필두로, 김남주의 시 「학살」 연작(1980~1984), 고정희의 장시 「초혼제」(1983), 윤정모의 소설 「밤길」(1985)은 독자들을 5월 광주의 새로운 참여 주체로 만들었다. 민주주의의 회복을 가져올 집단 주체의 등장은 80년대 문학의 주요 테마였다. 박노해의 『노동의 새벽』(1984)과 백무산의 『만국의 노동자여』(1988)는 한국현대사의 중요한 집단 주체인 '노동자'의 존재를 강하게 환기시켰다. 같은 맥락에서, 홍희담의 소설 「깃발」(1988)은 노동자 주체에 의한 광주 문제의 해결을 모색하여 많은 주목을 받았다.

1987년, 수많은 시민과 학생들, 노동자와 농민들이 거리로 쏟아져 나와 민주주의와 헌정 질서 회복을 강력히 요구했다. 6월항쟁과 7~9월 노동자 대투쟁으로 군사독재체제는 무너졌다. 민중의 힘이 국가폭력을 압도하면서 대한민국은 마침내 민주주의 사회로 전환되었다. 이로써 새로운 시간, 새로운 공간이 열렸다. 곳곳의 비민주적인 관행들이 극적으로 해소되었고, 시민사회는 새롭게 개편되었다. 산적해 있던 역사적 · 문학적 과제들도 점차 해소되기 시작했다.

금기시되었던 문학이 속속 소개되기 시작했다. 홍명희의 『임꺽정』을 필두로, 임화 · 김남천 · 이기영 · 한설야 · 이태준 · 정지용 · 백석 · 현덕 등 이른바 월북 · 납북작가/시인들의 책을 손에 쥐어볼 수 있게 됐다. 김학철의 『격정시대』 · 『해란강아 말하라』, 이근전의 『고난의 년대』 등의 중국 조선족 문학, 이회성의 『금단의 땅』, 김달수의 『박달의 재판』 · 『태백산맥』 · 『현해탄』, 이은직의 『탁류』, 김석범의 『까마귀의 죽음』 · 『화산도』 등의 재일조선인 문학도 소개되었다. 이북의 '3대 고전'인 『피바다』(국내출간 명칭은 『민중의 바다』) · 『꽃파는 처녀』 · 『한 자위단원의 운명』마저 출간되면서, 잃었던 문학의 실체를 눈으로 확인할 수 있었다.

수십 년간 묻혀 있던 과거사들도 표면 위로 떠올랐다. 1950년대에서 80년대에 이르기까지 이승만 · 박정희 · 전두환 정권이 벌인 국가폭력 및 인권침해를 헌정과 민주질서를 파괴하는 행위로 규정하며, 은폐 · 조작 사건에 관한 조사작업이 전국적으로 전개되었다. 과거사에 관한 문학적 복원작업도 활발히 진행되었다. 조정래의 『태백산맥』(1983~1989)

은 한국현대사를 민중적 관점에서 재조명하여 역사 교과서 역할을 하였다. 이창동의 「소지(燒指)」(1985)는 보도연맹 사건으로 아버지를 잃은 한 가족 이야기를 다루었고, 이산하의 장시 「한라산」(1987)은 제주 4·3항쟁의 전모를 열정적인 문체로 규명하였으며, 오봉옥의 장시 『붉은 산, 검은 피』(1989)는 30년대의 무장독립투쟁에서 45년 해방 직후 화순탄광 노동자의 반미투쟁까지 피어린 항쟁의 역사를 뜨겁게 구현하였다.

1960년 4월 혁명과 1987년 6월 항쟁은 해방기의 문학인들이 못다 수행한 문학적 과제들, 즉 사건과 주체의 결합을 복원하였다. 혁명과 항쟁의 중심에 민중이 있었다. 민중은 문학인들을 사건 내 존재로 이끌었다. 80년대의 작가/시인들은 민중성과 문학성이 융합된 창작을 시도했다. 사건과 작가 주체의 관계설정도 새롭게 모색하였다. 80년대는 문학의 진로와 성격을 둘러싼 백가쟁명의 시대였다. 오래 기다려왔던 '생활'이 사회에 깃들었다.

하지만 해외의 사정은 달랐다. 1991년 초, 미국은 쿠웨이트를 침공한 이라크를 제압한다는 명분으로 다국적군을 조직하여 '걸프전'을 일으켰다. 이라크는 초토화되었고, 이라크 주민은 목숨과 삶터를 빼앗겼다. 체르노빌 원전 폭발(1986), 베를린 장벽 붕괴(1989)는 91년 말, 소련의 해체로 귀결되었다. 소련의 위성국가였던 동유럽 국가들도 분리 독립을 선언하고, 민족주의를 표방했다. 민족 분쟁과 종교 갈등이 겹쳐진 곳에선 여지없이 쌍방 간의 무력투쟁과 집단학살이 뒤따랐다. 현실 사회주의가 사라진 세계는 단일한 자본주의 체제로 바뀌었다. 미국과 영국에서 시작된 신자유주의 프로그램이 세계 시장질서를 잠식했다. 한국 사회도 이러한 흐름에 자유로울 수 없었다. 독재가 사라진 자리에 거대기업이 올라섰다. 87년 체제는 10년 만에 신자유주의 체제로 교체되었다.

주체화/복종화

세계가 20세기에서 21세기로 건너오는 길은 험난했다. 외환위기 (1997), 9 · 11테러(2001), 동일본대지진(2011), 세월호 전복(2014) 등의 사건은 20세기 초중반의 사건들과는 달랐다. 20세기가 식민지 · 전쟁 · 집단학살 · 분단으로 요약된다면, 21세기는 경제 · 환경 · 재난으로 요약된다. 오늘날의 사건들은 모두 국가의 무능과 위선이라는 공통의 키워드를 갖는다. 국가의 무능과 위선은 명분과 실제의 간극에서 생겨난다. 현대 국가는 명분상 헌법과 민의에 따라 구성된다. 국가가 자본에 실질적으로 포섭될 때, 그 명분은 사라진다. 국가는 곧, 자본의 이해관계에 따라 조직되고 운영된다. 자본은 이윤이 발생하는 지점이면 어디든 뿌리를 내려 자기 증식하는 유기체와 다르지 않다.

생산이 없는 곳에서도, 아니 생산을 파괴하면서도 자본은 이윤을 얻는다. 이른바 전쟁 · 마약 · 범죄 · 매춘과 같은 반생산(反生産)에서도 이윤을 획득한다. 그러므로, 모든 걸 자본으로 수렴시키려는 신자유주의는 정확히 인간의 생존과 생활에 반대되는, 가공할 만한 반인간(反人間) 프로그램이다. 원래 자본에 인격은 없다. 자본가란 '인격화된 자본'(마르크스)일 뿐이다. 자본가의 이해만을 보호하는 국가 대표자들의 행태는 국가의 실질적 포섭 정도를 알 수 있는 반증일 뿐이다. '헌법과 민의'라는 명분마저 자본의 하수인이라는 자기 정체를 위장하는 이데올로기로 기능하므로, 국가의 무능과 위선 역시 노골적이고도 고의적인 것으로 보인다.

'생명 권력' 개념을 창안한 푸코에 따르면, 중세 시기의 국가들은 백성들의 생명을 거둘 수 있는 권한, 즉 '죽일 권리'를 행사할 수 있었다. '죽이거나 살게 두었다'. 천부인권을 바탕에 둔 근대국가는 '살릴 권리'를 우선시했다. 중세국가와는 거꾸로 '살리거나 죽게 두었다'. 앞 단락에서 언급했듯이, 현대 자본주의 국가의 관심사는 '인간의 생명'이 아니라 '자본의 활로'여서 더 이상 죽이는 것도 살리는 것도 아닌, 그저 '살아남게만 하는 데' 있다. 이건 무슨 뜻일까? 정치철학자 아감벤은 다음과 같이 해석한다.

우리 시대 생명 권력의 결정적인 활동은 삶의 생산도 아니고 죽음의 생산도 아닌, 차라리 생존을 생산하는 데, 쉽게 변형을 가할 수 있고 또 잠재적으로 무한한 생존을 생산하는 데 있다. 어느 경우에나 그것은 동물적 삶과 유기체적 삶을, 인간과 비인간을, 증인과 '무젤만'을, 의식을 지닌 삶과 소생술을 통해 기능이 유지되는 식물 인간적 삶을 어떤 문턱에 이를 때까지 갈라놓는 것과 관련된다. 생명 권력의 최고야망은 인간의 몸 안에 생명을 지닌 존재자와 말하는 존재자 사이의, 조에(zoē)와 비오스(bios) 사이의, 비인간과 인간 사이의 절대적 분리, 곧 생존을 생산하는 것이다.[14]

이 말을 재해석하면, 현대 자본주의 국가는 삶과 죽음의 가치를 격하시키는 쪽으로 고도화되었다는 뜻이다. 윤리적 기준에서, 현대 자본주의 국가는 인간에 반하는 방향으로 더욱 악화(惡化)된 것이다. 현대 국가의 신자유주의적 통치는 '인간의 형상을 한 비인간'으로 살아남게 하는 통치 프로그램이다. 인간의 노동에서 '노동력'은 사고팔 수 있는 상품이 된다는 『자본론』의 한 구절이 연상되지 않는가? 인간이 모두 '무젤만'으로 바뀌는 장면이 연상되지 않는가? 사람들은 스펙터클(spectacle)[15]에 눈과 귀와 뇌와 손과 발이 묶여 죽음과 삶의 가치 격하에 무의식적으로 동참하고는 뒤늦게 깨닫거나, 아예 무감각·무감정의 상태에 머

14   조르조 아감벤, 『아우슈비츠의 남은 자들−문서고와 증인』(새물결, 2012), 229~230쪽.
15   "스펙터클은, 역사와 기억을 마비시키는 현존하는 사회조직으로서, 역사적 시간이라는 토대 위에 건설된, 역사를 포기하는 현존하는 사회조직으로서, 허위적인 시간의식이다." - 기 드보르, 『스펙터클의 사회』(현실문화연구, 1996) 131쪽.

물 수 있다.

실제 그러한 일이 쉽게 목격되지 않는가? 어떨 때는 가족에게서, 내 자신에게서 그런 일이 벌어진다는 걸 알고 있지 않은가? 모든 것이 진실에서 멀어져 있다면, 우리는 어떻게 살아야 할까? 문학은 어디에 있으며, 무엇을 할 수 있을까? 어떻게 해야 진실한 주체를 만들 수 있을까? 오늘의 우리는, 의도하지 않았고 예기하지도 못했던 사건들의 위력에 압도되어 낱낱이 해체된 채 '비인간'으로 전락해 가는 것이 아닐까? 사회학자 랏자라또는, 어떻게 살아야 할지 물을 때 자본주의는 이렇게 답할 거라고 본다.

그 질문에 대한 자본주의의 대답은 '인생 시장(market of life)'을 구축하는 것이다. 그곳에서 사람들은 자신에게 어울리는 생활 방식을 구매한다. 실존의 양식들, 즉 주체화 모델은 더 이상 그리스 철학이 제공하는 것도 아니고, 기독교나 19~20세기의 혁명적 기획들이 제공하는 것도 아니다. 정확히는 기업체, 미디어, 문화산업, 국가의 복지장치, 실험보험 등이 삶의 양식을 공급한다. 현대 자본주의에서 불평등에 대한 통치는 주체화 양식의 생산과 통제, 또는 삶의 양식들과 분리할 수 없을 정도로 얽혀 있다. 오늘날 '치안(police)'은 역할의 분할과 분배, 기능의 할당을 통해서도 작동하지만, 특정한 삶의 양식에 순응하라는 명령을 통해서도 작동한다. 모든 소득, 모든 수당, 모든 임금은 특정한 품행, 즉 특정한 양식의 말과 행동을 지시하고 주입하는 '에토스'를 전달한다. 신자유주의는 화폐, 재능, 유산만이 아니라 '인생 시장'(life fair)에 기초한 위계를 복원하려고 한다. 그곳에서 기업과 국가는 교장 선생과 고해 신부를 대신해 행위 방식(먹고, 살고, 입고, 사랑하고, 말하는 방식 등)을 처방한다. 오늘날 자본주의, 그것을 구성하는 사기업과 각종 제도는 자기에 대한 배려와 수양을 처방한다. 그것은 신체적인 동시에 정신적인 행복(well-being)을 주입하고 존재의 미학을 강조한다. 바로 여기서 우리는 자본주의적 복종과 경제적 가치증식이 오늘날 어디까지 진출했는지 그 최전선을 확인한다. 그것은 주체성의 전례 없는 황폐화를 가져온다.[16]

오늘의 자본주의 사회는 친절한 스펙터클을 제공한다. 삶의 양식을 공급하고, 자기 수양 프로그램을 처방하며, 존재 미학을 가르친다. 사제와 스승과 메시아의 모습을 한 멘토들이 우리를 소확행(小確幸)의 길로 인도한다. 이것이 바로 신자유주의 통치에 의한 '자기-경영의 주체'[17]의 탄생이다. 방심하는 순간, 바로 우리 자신이 신자유주의적 자기-경영의 주체가 된다. 우리들은 아주 순간적이나마 타인의 고통과 죽음에 무감각·무감정한 상태로 진입한다. 아감벤이 말하는 "인간과 비인간

---

16   마우리치오 랏자라또, 『기호와 기계』(갈무리, 2017) 338~339쪽.
17   "신자유주의는 사회체를 전면적으로 시장화함으로써 규율 권력의 경우처럼 각 주체에게 직접 관여하는 게 아니라 시장의 효과를 통해 각 주체에게 시장 원리를 내면화시키고 쉽게 통치 가능한 자기-경영의 주체를 만들어 낸다." - 사토 요시유키, 『신자유주의와 권력』(후마니타스, 2014) 84~85쪽.

의 절대적 분리"가 실행되는 순간이다. 주체화(subjection)는 곧 복종화 (subjection)가 된다.[18]

21세기의 작가/시인은 어떤 사건을 소환하는가? 그리고 자신은 어떤 주체가 되는가? 21세기의 작가/시인은 무엇을 반성하고, 무엇에 저항 하는가? 오늘의 작가/시인은 20세기와는 전혀 다른 조건에 처해 있다. 달라진 환경에서 21세기의 주체도 20세기의 주체와는 다른 모습을 갖 는가? 쉽게 답할 수 없는 난제들이 쌓여 간다.

하지만 앞서 진단했듯 오늘의 사회는 자칫 모두가 '무젤만'(비인간)으 로 전락할 수 있는 위험요소로 가득하다. 그러므로 인간의 이름으로 비 인간화를 거역하는 행위가 요구된다. 문학은 그 일을 할 수 있다. 아직 제대로 발굴되지 않은 과거사도 산적해 있다. 한 걸음씩 나아가야 할 것이다. 철학자들의 도움으로 이미 저항으로서의 주체화 전략들이 제 시되어 있다. '기관 없는 신체'라는 탈복종화 전략과 '소수자-되기' 전 략(들뢰즈·가타리), '몫 없는 자의 몫'의 요청 전략과 '불화' 일으키기 전략 (랑시에르), '수행성' 개념을 통한 규범적 젠더 형성의 교란 전략(버틀러) 등 이다.[19]

---

18 subjection은 복종화 또는 주체화로 번역된다. 상반된 이중의 의미에 착안한 주디스 버틀 러는 '주체화'에 이르기 위해서는 주체의 '복종화' 과정, 즉 '복종화된 주체'가 필수적이라고 본다. 반복되는 복종에 저항하는 '반성적 주체'가 형성되고, 주체 자신의 행위능력으로 이행할 때 진정 한 '주체화'에 이른다고 판단한다. - 사토 요시유키, 위의 책, 191~193쪽.
19 사토 요시유키, 위의 책, 「2부 저항의 전략」 참조.

자본주의, 생명 권력, 신자유주의적 통치는 외부에 있지 않다. 몸과 감정과 인식에 새겨져 있으며, 일상을 함께 한다. 그러므로 자주, 아니 늘 일상을 튼튼히 조직할 의무가 있다. 소수자-되기를 늘 실행하고, 몫 없는 자의 몫을 계산하고, 고정관념과 낡은 개념을 뒤집어 그 쓰임과 '이름을 바르게' 하는 행위를 실천해야 한다. 21세기의 작가/시인은 스스로 사건이 되어야 할지 모른다. 자신의 이름, 몸과 감각, 논리와 행위를 사건화해야 할지 모른다. 그만큼 내면적이지만, 달리 보면 안팎의 경계가 지워져 있을 수도 있다. 누구도 걸어보지 못한 길, 누구도 갈 수 없던 길이 21세기의 작가/시인 앞에 놓여 있다. 눈으로는 볼 수 없고, 만져보아야만 알 수 있는 '보이지 않는 길'일지도 모른다.

사건, 주체, 문학

지난 시절의 식민과 분단은 근대화(近代化)와 기형적으로 접합되었다. 보존되어야 할 가옥과 거리는 철거되고, 있어선 안 될 기념비와 볼품없는 시멘트 광장이 들어섰다. 냉엄하게 직필해야 할 기자는 '기레기'가 되고, 투명해야 할 언론은 누렇게 떠 버렸다. 진리를 탐색해야 할 교수들은 권력을 탐하는 '폴리페서'가 되었고, 학생의 자치공간이 되어야 할 대학은 '화폐 공장'이 되었다. 종교도, 교육도, 예술도 자본과 권력의 놀이터가 되어버렸다. 국가의 공공성은 거대기업의 사적 이해관계에 따라 조절, 조정되거나 아예 폐지되고 있다. 법조인들은 화폐 권력의 노예로 전락한 것도 모자라 정치 권력을 탐하며 법치 질서를 무너뜨리고 있다. SNS와 방송에서는 '팩트'를 늘 '체크'해야 할 만큼 '가짜 뉴스'가 횡행하고 있다.

80년 5월 광주와 87년 6월항쟁으로 '형식적 민주주의'라는 외양을 장만하였지만, 21세기의 대한민국은 '실질적 민주주의' 사회로 조금도 나아가지 않았다. 시민의 정치적 자유와 경제적 불평등이 상시적으로 공존하는, 매우 기괴한 모습이 되었다. 정치인들은 여전히 오만하고 무능하며 무력하다. '세월호'은 '촛불'을 낳았지만, 이제 불꽃이 보이지 않는다. 집으로 돌아간 사람들이 임금과 세금과 보험료와 과태료와 연체금과 이자와 임대료 때문에 골머리를 썩이고 있다. 그 사이, 구의역에 일하던 열아홉 살 청년이 전동차에 치여 숨졌고, 스물네 살 청년도 발전소 컨베이어벨트에 끼어 목숨을 잃었다. 다른 스물여덟 살 청년은 방송사의 비인간적 관행과 과로를 견디다 못해 스스로 목숨을 끊었다. 2020년 한 해 동안 산재로 목숨을 잃은 노동자가 1만 명이다. 지난 5년 동안 29세 이하 청년 노동자 249명이 산재로 사망하였다. 강남역 근처에 있는 어느 노래방 화장실에서 스물세 살 청년이 까닭 없이 칼에 찔려 사망했다. 까닭이 없진 않았다. 오랜 편견과 차별의 응축이 사회적 약자를 출구 삼아 분출된 것이다.

21세기의 사건들은 스스로 사건을 불러 모은다. 사건 스스로 주체가 된다. 세월호의 전복은 성수대교 붕괴와 삼풍백화점 붕괴를 소환한다. 전동차·발전소·방송사에서의 청년들의 죽음은 다시 세월호의 어린 희생자들을 소환한다. 한 여성의 느닷없는 죽음이 오래된 성차별의 역사를 소환한다. 목숨을 잃은 오늘의 청년들이 다시 청년 전태일을 소환한다. 21세기의 주체는 한 데 모여 있지 않다. 수렴되어 응집된 형태가 아니라 확산되어 있고 산발적인 모습이다. 어느 곳에나 있고 어디에도 없는, 편재적(遍在的)인 형태다.

오늘의 주체는 유비쿼터스(ubiquitous)라는 이름의 유령일 수 있다. 나아가 이미 사건들은, 주체와 한 몸이 된 것인지도 모른다. 오늘의 주체가 곧 사건이고, 오늘의 사건이 곧 주체라면, 인간과 비인간의 절대적 분리를 노린 신자유주의가 이미 내파(內破)되고 있는 것은 아닐까? 인간과 비인간의 경계가 지워져 비인간 속으로 숨과 영혼이 깃들고 있는지도 모른다. 20세기의 '인간'과는 다른 '인간'이 태어나는 것이라면, 좋은 일일 것이다.

그들이 희생자라고 생각했던 것은 내 오해였다. 그들은 희생자가 되기를 원하지 않았기 때문에 거기 남았다. 그 도시의 열흘을 생각하면, 죽음에 가까운 린치를 당하던 사람이 힘을 다해 눈을 뜨는 순간이 떠오른다. 입안에 가득 찬 피와 이빨 조각을 뱉으며, 떠지지 않는 눈꺼풀을 밀어올려 상대를 마주 보는 순간. 자신의 얼굴과 목소리를, 전생의 것 같은 존엄을 기억해내는 순간.

(…) 이제 당신이 나를 이끌고 가기를 바랍니다. 당신이 나를 밝은 쪽으로, 빛이 비치는 쪽으로, 꽃이 핀 쪽으로 끌고 가기를 바랍니다.

목이 길고 옷이 얇은 소년이 무덤 사이 눈 덮인 길을 걷고 있다. 소년이 앞서 나아가는 대로 나는 따라 걷는다. 도심과 달리 이곳엔 아직 눈이 녹지 않았다. 얼어 있던 눈 더미가 하늘색 체육복 바지 밑단을 적시며 소년의 발목에 스민다. 그는 차가워하며 문득 고개를 돌린다. 나를 향해 눈으로 웃는다.[20]

한강은 『소년이 온다』에서 80년 5월 광주를 소환한다. 소년의 웃음은 '나'를 위로하는 게 아니라, 여기까지 와 주어서, 자신을 따라와 같이 걷고 있는 사건을, 저버리지 않고 '곁에 있음'을, '옆에 있어서 좋음'을 표현한다. 한 소년의 죽음을 진실하게 영접하고, 또 정갈한 모습으로 떠나보내는 애씀은 사건 내 존재인 작가 주체의 역할이다. 작품을 읽으면 '어떤 만남'이 이루어진다. 그 만남이 다른 만남을 이루고, 그 만남들과 또 다른 만남들이 서로 부르는, 모든 만남들의 지대가 넓고 고른 풀밭 같이 느껴지는 것. 이것이 우리가 바라는 욕망, 즉 기관 없는 신체들이 집합적으로 배치된 형상이다.

어느날 회사일로 저녁 늦게 귀가해보니 삼촌과 아내가 말다툼하고 있었다. 삼촌은 나를 보자 울면서 부엌바닥에 주저앉아버리는 것이었다. 나는 무슨 일이냐고 아내에게 눈을 부라렸다. 그러자 이번엔 아내가 눈물을 주르륵 흘리는 게 아닌가. 빌어먹을.

---

20   한강, 『소년이 온다』(창비, 2014) 213쪽.

아내는 순이삼촌이 쌀이 다 떨어져서 사와야 한다는 말에 "쌀이 벌써 떨어졌어요?"라고 예사로 말을 던졌을 뿐이다. 알았다는 뜻에서, 아, 그래요? 하듯이 가볍게 한 말을, 서울말의 억양에 익숙하지 못해서 그랬던지 "쌀이 벌써 떨어질 리가 있나요?" 하는 반문(反問)으로 잘못 오해했다는 것이다. 그래서 삼촌은, 내가 너무 밥을 많이 먹어서 쌀이 일찍 떨어진 줄 아느냐, 도둑년처럼 내가 쌀을 몰래 내다 팔았다는 말이냐, 하면서 우는 것이었다. 참 기가 찰 노릇이었다. 하도 어이없는 일이라 어디서 어떻게 수습해야 좋을지 몰랐다. 다만, 하잘것없는 일에 꼼짝없이 붙잡혀 상심하고 있는 삼촌을 보자 나 자신 눈시울이 뜨거워지는 것이었다.[21]

순이삼촌과 아내는 '나'를 보자 각각 운다. 집안일 도우러 고향에서 올라온 순이삼촌은 먼 친척 어른이다. 서울내기 아내와 제주도 사투리밖에 모르는 순이삼촌은 말이 잘 통하지 않았고 게다가 아내의 말을 삼촌이 오해했던 것이었다. 삼촌은 누가 조금이라도 본인 탓을 하면 억울한 마음부터 먼저 일어났다. 삼촌은 신경쇠약증을 30년 넘게 앓고 있었다. 삼촌의 일생은 불행했다. 제주 4·3사건 와중에 벌어진 학살로 삼촌은 아들과 딸을 잃었다. 삼촌은 구사일생으로 살아나왔다.

"순이아지망은 죽어도 발쎄 죽을 사람이여. 밭을 에워싸고 베락같이

2 1   현기영, 『順伊삼촌』(창작과비평사, 1979) 41~42쪽.

총질해댔는디 그 아지망만 살 한점 안 상하고 살아났으니 참 신통한 일이랐쥬." "아매도 사격 직전에 기절해연 쓰러진 모양입디다. 깨난 보니 자기 우에 죽은 사람이 여럿이 포개져 덮연 있었댄 허느 걸 보민…… 그때 발쎄 그 아지망은 정신이 어긋나버린 거라 마씸." 큰당숙어른과 작은당숙어른의 증언이었다. 이루 말할 수 없는 크기의 외상(外傷)이 삼촌의 몸과 마음을 해치고 있었다. 삼촌은 서울로 집안일을 도우러 왔다가 고향으로 내려간 지 얼마 안 되어 약을 먹고 자진한다. 시신은 20일이 지나 옴팡밭에서 발견되었다. 옴팡밭은 아이들이 묻힌 곳이었다.

「順伊삼촌」은 〈창작과비평〉 1978년 가을호에 발표되었다. 어릴 적 기억과 마을 어른들의 증언을 모아 4·3 내부로 들어가 사건으로 소환한 작가 현기영[22]은 오래도록 침묵을 강요당하며 '몫 없는 자들'로 전락하였던 제주 4·3의 증언자가 되어 당당히 제 몫을 요구하고 '불화(不和)'의 전략으로 맞선 작가 주체다. 여러 증언을 모아 만든 '순이삼촌'은 가상의 인물이지만 역사적 진실의 형상이다. 오늘날에도 읽힐 때마다 특별한 울림을 일으킨다.

몰려선 사람들이 박수를 치고, 옥구열도 박수를 쳤다. 처음으로 그의 입에

---

22   유신반공체제의 서슬이 시퍼렇던 1978년 겨울에 발표된 이 작품은, 작가 현기영에게 큰 곤욕을 안겼다. 보안사령부에 끌려가 며칠에 걸쳐 심하게 구타당했고, '80년 5·18 때는 20일여 동안 구금당하기도 하였다.

서 유신 철폐, 독재 타도 소리가 흘러나왔다. 한 사람의 시민이면 되었다. 식당에서 소주를 마시며 할 말을 하는 국민이고 싶었다. 대로변을 물고 선 건물에 매달린 다방 간판이 보였다. 그는 몸을 빼서 삼층 건물을 찾아들었다. 다방 손님들과 종업원들이 모두 창가에 붙어 서 있었다. 옥구열이 창에 섰을 때 선두는 이미 충무국민학교 맞은편에서 남포동 방향으로 꺾고 있었다. 국제시장 사거리에서 왕자극장 방면으로 몰려드는 시위대는 끝이 보이지 않았다. 구호와 박수소리, 시위대의 발걸음이 어둠을 밟아 지축을 흔들었다. 삼거리를 가로지른 육교로 시선을 돌렸을 때 육교를 가득 채운 사람들이 시위대에게 무언가를 던지고 있었다. 빵 봉지와 야쿠르트였다. 머리끝이 서고 몸이 떨리면서 눈시울이 뜨거워졌다.[23]

조갑상의 소설 『밤의 눈』 마지막 장면이다. 옥구열의 아버지는 1950년 보도연맹 사건에 연루되어 목숨을 잃었다. 옥구열은 아버지가 언제 어디서 어떻게 돌아가셨는지 알고자 같은 처지의 사람들과 유족회 활동을 했다. 하지만 오히려 정부는 유족회 활동을 '반국가 행위'라며 옥구열을 구금하고, 석방된 후에도 그를 줄곧 감시한다. 그는 평범한 국민이 되고 싶었을 뿐이었다. 1979년 어느 날, 옥구열은 물건 일하러 국제시장 사거리에 왔다가 시위대와 마주친다. 박정희 정권을 무너뜨린 부

---

23   조갑상, 『밤의 눈』(산지니, 2012) 378~379쪽.

마항쟁이 시작된 것이다.

'보도연맹 사건'은 50년 6월 전쟁 발발 당시, 이승만 정권이 반란을 차단한다는 명분으로 전국 각지에서 보도연맹원을 검속하면서 일어난 일로서, 10만에서 30만 명으로 추정되는 사람들이 6개월여 만에 모두 주검으로 매장된, 현대사 최대의 집단학살 사건이었다.[24] 인용한 소설 『밤의 눈』은 경남의 한 마을에서 벌어진 보도연맹 사건을 추적한다.

국가의 가혹한 탄압에도 불구하고, 옥구열과 유족회가 살아갈 수 있었던 건 민중에 대한 믿음 때문이다. 유족회를 만들 수 있었던 것도 4월 혁명 덕이었다. 부마항쟁 시위대를 만나 옥구열은 눈물을 흘린다. 국가의 상태에 따라 개인의 상태가 일방적으로 결정되는 때였다. 국민이 되고 싶어도, 국민이 되기 싫어도 국가가 허용하지 않으면 불가능한 때였다. 국가폭력이 극에 달할 때, 언제나 민중은 힘을 냈다. 민중은 사건을 만들어 내고 그 힘으로 국가의 상태를 바꾸었다. 조갑상의 『밤의 눈』은 저항으로서의 증언이다. 프리모 레비와 같이, 조갑상은 증언 행위로써 편견된 질서를 교란시키고 진실의 왜곡을 바로잡는 저항을 수행한 작가 주체다. 현재, 대전시 외곽의 골령골에서 7천여 구의 유해가 공동조

---

24   보도연맹 사건의 전모에 관해서는, 서중석의 『한국현대사 이야기 2』(오월의봄, 2015)와 강성현의 「한국 사상통제기제의 역사적 형성과 '보도연맹 사건', 1925~1950」(서울대 사회학과 박사논문, 2012)을 참조할 것.

사단에 의해 하나둘 수습되고 있다.[25] 작가/시인 주체가 복원해야 할 사건이 예비되고 있다.

결국, 사건은 편향을 요구하는 것이 아니라 편향으로 이끈다. 작가/시인은 사실을 사건으로 발굴하고, 다시 사건을 문학-사건으로 표현하는 주체이다. 사건 내부로 깊이 침잠하거나 직립의 자세로 전유할 때, 사건은 작가/시인 주체에게 말을 건다. 오래 묻혀 있던 '그날들'의 진실이 실타래처럼 풀려 나오면, 작가/시인 주체는 받아적는다. 개인 주체가 겪는 사건이든 집단 주체가 연루된 사건이든 사건 자체는 기존의 인식 틀을 넘어선다. 바디우의 말처럼, 어떤 "만남에 실질적으로 충실하고자 한다면, 나의 상황에 거주하는 나 자신의 방식을 머리끝에서 발끝까지 바꾸어야 한다는 사실"[26]은 명백하다. 바디우는 "한 사건에 대한 충실성의 실재적 과정" 및 "그 충실성이 상황 속에서 생산하는 것"을 '진리'라

---

25 "대전 골령골은 한국전쟁이 터진 직후였던 1950년 6월 말부터 1951년 초까지 대전형무소 수감자와 지역주민 등 최대 7천여 명이 학살당한 곳이다. 당시 이승만 정부는 단지 '적으로 의심되는 사람'이라는 이유로 수천 명의 민간인 등을 법적 절차 없이 집단 학살한 뒤 방치했다. 당시 대전형무소에는 제주 4·3사건 및 여순사건 관련자들, 남로당원, 국민보도연맹 관련자들이 대거 수감되어 있었다. 가해자는 충남지구 방첩대(CIC), 제2사단 헌병대, 지역 경찰 등으로 골령골 1km에 걸친 총 8개 구역에서 학살을 자행한 것으로 추정된다. 골령골이 '세상에서 가장 긴 무덤'이라고 불리는 이유다." - 이명주, 「'세상에서 가장 긴 무덤' 골령골 현장을 가다」(《뉴스타파》 2020.11.13) * http://newstapa.org/article/leJji 참조.

26 알랭 바디우 『윤리학』(동문선, 2000) 55~56쪽.

고 부른다. 주지하듯 주어진 시간 틀 안에서 사건이 생겨나는 것이 아니라, 사건이 시간을 만든다. 사건 내 존재인 주체 역시 이전과는 다른 존재가 되기 때문이다. 주체/주체화는 고정관념을 넘어서 계속 초과되는 '그 무엇'이다. 주체는 새로운 시간 자체가 된다. 주체는 현행적 실존(actual existence)으로서, 새로운 시간을 유영하는 지금의 우리이고, 새롭게 연결된 과거의 나며, 앞으로 찾아질 미래의 너다. 주체들의 만남은 기성 제도와 낡은 법과 완강한 국가와 치밀한 자본과 비인간을 뚫고 분출하며 위반과 이탈과 재구성을 발생시킨다. 이러한 만남의 지점들을 확산, 심화하는 과정에서 '힘'이 전달되고 응축된다. 힘은 새로운 살림을 지탱하며, 죽음의 위엄을 회복시킨다. 그 힘의 다른 이름은, '문학'이다.

한국전쟁과 지역문학

한국전쟁기의 충북 문학인

전쟁과 문학

우리는 아직 전쟁을 끝내지 못했다. 한국전쟁이 발발한 지 70년이 지났음에도 남북 간의 적대 관계를 결정적으로 해소하지 못하고 있다. 남북관계를 호전시킬 계기가 여러 차례 있었음에도 여전히 평화를 향한 불가역적인 출구를 찾는 일은 어렵기만 하다. 점점 세월이 지나면서 양쪽 사회는 냉전 및 분단 체제로 고착되어 시대착오적인 진통을 겪고 있다. 전쟁 이후, 우리 남쪽은 정치·경제의 측면에서 비약적인 변화를 이루었다고는 하지만, 사회·문화의 측면에서는 전혀 성숙하지 못하고 있다. 심하게 굴절되고 왜곡된 변화에 불과한 것이다.

전체주의 사회로 구축되어 있는 북측의 사정은 차지하고서라도, 우리 사회 내부의 여러 지점에서 단위별 적대(敵對) 행위가 만연해 있음을 부정하기 어렵다. 나치 독일의 법철학자 칼 슈미트는 "전쟁은 적대 관계 속에서 의미를 가진다. 전쟁이 정치의 계속이기 때문에, 정치 또한 항상 적대 관계의 요소를 포함하며, 적어도 적대 관계의 가능성을 내포한다."[1]고 말했다. 전쟁을 청산하지 못한 우리는 칼 슈미트의 입론을 조금도 넘어서지 못하였다. 일상에서의 인간관계조차 '전쟁의 미시적 연장' 형태로 나타나 곧잘 적대적 관계로 돌변하는 경우가 자주 목격된다. 정치·경제적 이해관계의 충돌이 논쟁과정을 거쳐 상호 합리적 수준에서 조정되는 것이 아니라 극한의 감정적 적대로 분열되어 서로 '살의'를 느끼거나 돌발적인 폭력으로 비약한다. 전쟁의 논리가 오늘의 사회는 물론이고, 개인의 일상생활마저 지배하고 있다. 일본의 사회사상가 도미야마 이치로는 사실 "전장(戰場)으로 나아가는 과정은 지극히 당연한 일상세계에서 시작"되며, "전장은 결코 비정상적인 사태가 아닐뿐더러 일상생활과 동떨어진 광기도 아니"고, "전장은 바로 나날의 진부한 삶 속에서 준비되고" 있다고 말한다.[2]

그렇다. 전쟁의 원인은 일상에서의 적대에 있다. 급기야 전쟁은 적대를 더욱 증폭시켜 피붙이마저 피아(彼我)로 갈라놓기까지 한다. 함께 우정을 나누었던 문학인들도 자유로울 수 없었다. 전쟁은 모두를 전장으

---

1   칼 슈미트, 『파르티잔-그 존재와 의미』(문학과지성사, 1998) 100쪽.
2   도미야마 이치로, 『전장의 기억』(이산, 2002) 26~27쪽.

로 내몰았다. 전쟁은 적대를 지시하고, 명령하였다. 1945년 8월, 해방의 기쁨을 만끽하며 너나없이 새 나라 건설에 뛰어들었던 많은 문학인들은 5년간의 일들이 전쟁으로 귀결된 것에 무척 당혹스러웠을 것이다. 당혹감과 더불어 한편으로 환멸이 일고, 한편으로 분노도 일었으리라. 피할 도리없이 문학인들은 선택의 갈림길에 서게 되었다. 왼편에 설 것인가, 오른편에 설 것인가? 남인가, 북인가? 아니면, 둘 다 피하여 깊은 곳으로 잠적할 것인가? 2차 세계대전의 여진이 한반도로 몰려와 새로운 전쟁으로 분출한 형국에서 문학인들은 과연 어떤 결단을 내렸을까?

하지만, 본질적으로 전쟁은 문학의 일, 문학인의 일이 될 수 없다. 문학의 본령은 '자유'에 있기 때문이다. 문학은 어느 한 편을 선택하지 않을 자유까지 필요하다. 문학 또는 문학인의 결단은 오직 '자유의 이행(移行)'에 있다. 자유의 이행이란 자유로 옮겨가는 것이니, 문학 자체가 자유와 한 몸인 것이다. 김수영은 「시여, 침을 뱉어라」에서, 문학의 모험은 "자유의 서술도 자유의 주장도 아닌 자유의 이행이다. 자유의 이행에는 전후좌우의 설명이 필요 없다"고 했다. 문학은 "온몸으로 바로 온몸으로 밀고 나가는 것"이니, 문학인은 자신의 생존을 자신의 작품, 자신의 글쓰기, 자신의 창작 정신에만 맡길 따름이다. 자기 충만에서 피어나는 희열, 드높은 표현 욕구, 표현하는 존재로서의 당당함 외에 그 어떤 것도 문학은 추종하지 않는다.

시는 온몸으로 바로 온몸으로 밀고 나가는 것이다. 그것은 그림자를 의식하지 않는다. 그림자에조차도 의지하지 않는다. 시의 형식은 내용에 의지하지 않고 그 내용은 형식에 의지하지 않는다. 시는 그림자조차도 의식하지 않는다. 시는 문화를 염두에 두지 않고, 민족을 염두에 두지 않고, 인류를 염두에 두지 않는다. 그러면서도 그것은 문화와 민족과 인류에 공헌하고 평화에 공헌한다. 바로 그처럼 형식이 내용이 되고 내용은 형식이 된다. 시는 온몸으로 바로 온몸으로 밀고 나가는 것이다. [3]

문학은 본성상 부단히 대열을 이탈하며, 어떠한 명령도 따를 수 없다. 문학은 외부에서 강요하는 어느 편에 설 수 없다. 문학의 편은 오직 자기 내부, 자신의 몸과 마음의 자유뿐이다. 문학은 오로지 자기 내부의 욕망과 판단에 따라 움직일 수 있다. 문학은 곧 자기 운동(運動)이다. 왼편에서 오른편으로, 다시 왼편으로, 또 위에서 아래로, 다시 위로 오가는 사이, 그 중간의 점이지대 등 문학의 자리는 고정되지 않는다. 문학은 변화(變化)다. 즉 바꾸고 되는 것이다. 문학은 전이(轉移)다. 구르고 옮긴다. 옮아가므로, 한편 감염(感染)이다. 느끼고 물드는 것이다. 문학은 여느 현실의 영역과는 좀 다른 색채, 다른 질감, 다른 형체를 지닌다. 문학은 고

---

3   김수영, 「시여, 침을 뱉어라-힘으로서의 시의 존재」, 『김수영 전집 2 산문』(민음사, 2018) 502~503쪽.

정불변(固定不變)을 허용하지 않는, 좀 다른 세계다.

그러므로 문학은 칼 슈미트의 논리에 반(反)한다. 문학의 법칙에 적대(敵對)란 없다. 어느 한 편을 적으로 고정하여 절멸시키려는 의도나 살상을 가하려 하지 않는다. 적대행위에 가담하는 건 문학의 일이 될 수 없다. 문학은 살생(殺生)하지 않기에, 문학은 곧 반전(反戰)이다. 애써 평화를 지향해서가 아니라 어느 편에 고정되지 않는 운동과 변화인 문학이기에 어느 한 편에 가담하여 전쟁할 수 없다는 뜻이다.

그렇다고 해서 문학이 중립(中立)의 편에 서는 것은 아니다. 중립 또한 한곳에 고정되어 관념으로만 순수를 지향하는 무력한 포즈에 불과하며, 저열한 생존 욕구에 따른 임시적인 도피처일 뿐이다. 그 자체 운동인 문학의 자리는 오로지 도중(道中), 즉 길 한복판에 있다. 나아가 문학은 반전(反戰) 이상의 비전(非戰)이다. 문학에 전쟁은 없다. 문학은 전쟁 이전의 삶에, 전쟁 이후의 죽음에 더 어울린다. 물론 문학은 전쟁의 한복판에서도 피어난다. 다만 가까스로 연명하며 고통을 감내하는 신음과 같고, 무고한 주검들 앞에서 숨죽여 흐느끼는 울음과 같을 뿐이다. 문학은 포격 이전의 노래로 태어나며, 총격 직후의 울음소리로 일어난다. 문학은 역사의 급변과 집단의 충돌에 생겨나는 균열에서 피어오른다. 허공, 사이, 틈과 같은 비무장 공간에서, 짬이나 겨를과 같은 휴지(休止)의 시간에서 문학은 생성한다.

불행히도 역사의 여러 국면에서 문학인들은 들이댄 총부리에 마지못해 어느 한 편에 서거나, 기꺼이 총을 들어 적대행위에 적극, 가담하곤 하였다. 그러나 종군(從軍)하는 문학은 이미 문학이라고 할 수 없으며, 훼손이며, 자기 부정이고, 자유의 부정이다. 우리 문학은 이미 한국전쟁 이전에 종군의 선례가 있다. 조선문인보국회(朝鮮文人報國會)는 "조선 문학자의 총력을 대동아전쟁의 목적에 결집하고 황도 세계관을 현현하는 일본문학을 수립"하는 것을 목표로 삼아 각지의 일본군을 위문하고, 연설회를 개최하여 징병과 징용 동원을 선전하는 활동을 하였다. 한국전쟁에서도 종군 문학이 출현했다. 남에서는 문총(文總, 전국문화단체총연합회)이 문총구국대(文總救國隊)를 결성, 육군종군작가단, 해군종군작가단, 공군종군작가단으로 나뉘어 참전했다. 북에서는 해방기 문화공작대를 이어받아 문련(文聯, 조선문화단체총연맹)이 음악인과 연극인 중심의 전선 문화공작대를 조직하였고, 문학인들은 개별적으로 전선에 투입되어 기자를 겸한 작가로 종군하였고 선전물을 만들어냈다.

전쟁은 문학인들을 선택의 갈림길로 내몰아 파멸의 늪에 빠뜨렸다. 중립지대로 도피한 문학인들도 전쟁의 참화에서 예외일 수 없었다. 잿더미 속의 문학은 어떤 모습이었을까? 전후 70년이 지난 지금, 전쟁에 휘말린 문학인들의 당시 상황을 추적하고 그 와중에 쓰인 작품들을 더듬어봄으로써 일말의 '문학'을 발견하는 일은 무의미하지 않을 것이다. 충북에서 태어나 이남과 이북, 일본과 중국에까지 나아간 문학인들이 50년 6월의 전쟁에 어떻게 반응하고, 가담하며, 어떻게 도피하고, 저항하였을지 자못 궁금하다. 전쟁 당시, 60대 초반이었던 벽초 홍명희부터 20대 초반이었던 청구자 민병산까지 충북 출신 문학인 20인의 흔적을 따라 격동기 문학의 자리를 찾아보기로 하자.

한국전쟁기의 충북 문학인들

홍명희 (1888~1968, 괴산)

1950년, 『임꺽정』의 작가 벽초 홍명희는 62세였다. 개전 다음 날인 6월 26일, 김일성을 위원장으로 한 군사위원회가 설치되자, 벽초는 박헌영·김책·최용건·박일우·정준택과 함께 6인 군사위원의 한 사람으로 임명되었다. 군사위원회는 한국전쟁 당시 군사 부문은 물론 일체의 사항에 대해 주권을 위임받은 북한의 최고 권력기구였다. 7월 6일, 괴산에서 벽초의 계모 조씨와 계수 김씨가 국방군에 의해 사살되었다. 두 달 뒤인 9월, 그 소식이 북에 알려지자 김일성은 홍명희를 위로 방문하고, 홍기문을 현지에 보내 시신을 잘 안치하도록 했다. 10월에는 서울에서 납북되어 신병으로 사경을 헤매던 춘원 이광수가 구조 요청을 보내왔다. 그를 데려다 간호했으나, 결국 사망하였다. 1950년 12월, 항일 운동과 통일운동의 동지였던 김규식이 병사하자, 벽초는 장례위원장을 맡아 그의 장례식을 집행하였다. [4]

정순철 (1901~?, 옥천)

어린이운동가이자 동요 작곡가인 정순철은 전쟁 무렵, 서울 성신여고에서 교편을 잡고 있었다. 1950년 9월 말경, 유엔군에 의해 서울이 수복되기 직전에 한 제자가 찾아와 정순철을 북으로 데려갔다. 함께 동요운동을 한 정인섭은 그 소식을 듣고 모두들 슬퍼했다고 증언한 바 있다. [5] 지금도 그의 생사는 알 수 없다.

정지용 (1902~1950?, 옥천)

정지용은 1949년 11월, 보도연맹에 가입하여 1950년 2월 문화실장에 취임했다. [6] 1949년 12월 5일자 서울신문에 실린 〈이북문화인들에게 보내는 메시지〉 가운데, 정지용은 상허 이태준에게 공개편지를 보냈다. 보도연맹 활동의 일환이었을 것이다.

---

4   강영주, 『벽초 홍명희 연구』(창작과비평사, 1999) 582쪽.

5   도종환, 『정순철 평전』(정순철기념사업회, 2011) 289쪽.

6   이순욱, 「국민보도연맹시기의 정지용의 시 연구」, 『한국문화논총』 제41집(2005.12) 53~76쪽 참조.

자네가 넘어간 후 자네 소설이 팔리지 않고 자네 독자가 없이 되었네. 옛 친구를 자네가 끊고 간 것이지 내가 어찌 자네를 외적(外敵)으로 도전하겠는가? 자네들은 우리를 라디오로 욕을 가끔 한다고 하더니만 나도 자네를 향하여 응수하기에는 좀 점잖아졌는가 하네. (…) 38선에서 우리는 낙망하고 말 태세에까지 간다면 소설은 어디서 못 써서 자네가 M1 총을 들고 겨누어야 할 허무맹랑한 최후까지 유도하여야 할 형편이 아닌가? 애초에 잘못할 계획이 아니었을지라도 결과가 몹시 글러지고 말았으니 지금도 늦지 않았다. 조국의 서울로 돌아오라! 신생 대한민국 법치 하에 소설가 이태준의 좌익쯤이야 건실명랑한 지상으로 포용할 만하게 되었다. 빨리 빠져 올 도리 없거든 조국의 화평무혈통일을 위하여 끝까지 붓을 칼 삼아 싸우고 오라. (정지용, 「소설가 이태준군 조국의 서울로 돌아오라」)7)

보도연맹 활동에 적극적이었든 그렇지 않든 정지용은 이태준을 두고 "자네를 외적(外敵)으로" 삼을 수 없다고 분명히 밝힌다. 그렇지만 상황은 점점 "M1 총을 들고 겨누어야 할 허무맹랑한 최후"에 가까워지고 있었다. 문우 이태준에게 보내는 이 편지에는 문학이 서로 나뉘어 적대해야 할 상황이 도래하고 있음을 감지한 시인 정지용의 답답함과 절박함 그리고 무력감이 드러난다. "소년감화원 께 까지는/ 내가 찾어 가야겠

---

7   정지용, 『정지용 전집 2 산문』(민음사, 1988) 415~416쪽.

는데// 인생 한번 가고 못 오면/ 만수장림(萬樹長林)에 운무(雲霧)로다…". [8]
보도연맹 시기 정지용의 시 「녹번리」 마지막 구절이다. 절망감은 더해
있고, 죽음의 예감까지 얼비친다.

6월 25일 전쟁이 일어난 직후인 7월경, 서울 녹번리 자택에서 다녀오
겠다며 집에서 나간 뒤, 시인은 돌아오지 않았다. 인민군이 서울을 점령
한 때였으니 시인을 데려간 사람들이 좌익계 제자나 동료 또는 보안서
원이었을 것으로 추정된다. 1950년 초반의 보도연맹 활동에 관해 취조
받았을 가능성도 있다. 이후 9월 말경 동두천 인근의 소요산 기슭에서
사망했다는 설과, 같은 시기 평양교도소에서 사망했다는 설 이외에도
전쟁 당시 시인의 행적에 대해서도 여러 추정이 있지만, 확정적인 증거
자료는 아직 발견되지 않았다.

1949년 1월, 동지사에서 펴낸 『산문』에는 정지용 시인이 번역한 휘
트먼 시 몇 편이 실려 있다. 그 중 「군대의 환영」은 1년 반 뒤에 벌어질
참상을 미리 예견한 듯하여 더욱 비통하게 다가온다.

나는 모든 군대의 환영을 보았다.

소리 없는 꿈속에서처럼 수백의 전기(戰旗)가 전화(戰火)를 뚫고 옮기고 탄환
에 뚫린 것을 보았다.

---

8   이순욱의 논문 74쪽에서 재인용함.

포연에 쩔어 이리저리 달리고 찢어지고 피묻은 것을 보았다.

나중에는 깃대에 남아 있는 갈갈이 찢어진 두어줄 깃폭 (고요히 날리지도 않고)

깃대마저 쪼기어지고 꺾이어지고

나는 수수만인의 전단(戰團)을

청춘의 백골을 - 보았다.

죽은 병사의 으스러진 살덩이를 보았다.

그러나 우리가 생각하듯 그렇지 않은 것을 보았다.

그들 자신을 충분히 휴식하는 것이었다 - 그들은 괴롭지 않았다.

살아 있는 사람들이 남아서 괴로웠다 - 어머니가 괴로웠다.

아내와 아이들이, 침사(沈思)하는 요우(僚友)가 괴로웠다.

남아 있는 모든 군대가 괴로웠다.

— 월트 휘트먼, 「군대(軍隊)의 환영(幻影)」[9]

9   정지용, 『정지용 전집 1 시』(민음사, 1988) 226쪽.

김기진 (1903~1985, 청주)

　조선 프롤레타리아 문학운동의 1세대인 팔봉 김기진은 카프 해산 이후 1938년 시국대응전선 사상보국연맹의 결성위원으로 참여하고, 1944년에 열린 제3회 대동아문학자대회에도 참석하였다. 일제말, 김기진은 조선문인보국회와 조선언론보국회에도 가담하여 친일문학의 중추 노릇을 하였다.

　김기진은 해방 후 '애지사'라는 출판사 겸 인쇄소를 경영하고 있었다. 친일 행적은 전혀 처벌받지 않았다. 5년 뒤 전쟁이 일어났고, 3대가 함께 살던 집을 버리고 혼자 피난할 수 없어 서울에 남아 있었다. 7월, 인쇄소 직원의 고발로 서울인민위원회의 인민재판에 회부되어 사형 언도를 받았다. 집단 린치로 혼절한 김기진을 죽었다고 생각한 군중이 인근 병원 영안실로 그를 옮겨놓았다. 의식을 차린 그는 비틀거리는 몸을 간신히 추슬러 가족이 있는 집으로 돌아갔다.

　이때의 기억을 재구성한 실록 『나는 살아 있다』를 1951년에 탈고, 피난 가 있던 대구에서 한 권의 책자로 간행하였다. 직후 육군종군작가단에 입대, 1952년에는 종군작가단 부단장으로 활약하였다. 1953년에는 종군작가단이 펴낸 『전선문학』에 「전쟁문학의 방향」, 「정신의 빈곤」이라는 평론을 실었다. 전후 금성화랑무공훈장을 받으며, 대표적인 반공주의 문학인으로 활동하였다.

　김기진의 문학적 업적은 대개 카프 시절에 생산된 것이다. 조선 사회에 프롤레타리아 문학운동을 자리매김하는 데 필수적인 여러 입론을 제출했고, 단편 서사시 양식을 주장하여 시와 리얼리즘의 관계에 관한 논쟁을 유도하며 창작을 활성화하는 데 기여했다. 일제 말, 해방 3년기, 전쟁기, 60~80년대까지 김기진은 줄곧 문학의 본령에서 비껴 있었다.

이흡 (1908~1950?, 충주)

시인 이흡은 1950년 전쟁 직전 좌익 활동으로 체포, 서대문형무소에 수감되었다고 알려졌다. 그 후 전주교도소로 이감되었고 감옥 생활 중에 전쟁이 일어났으며, 이때 총살되었다고 전한다. 아내와 헤어진 후 2남 1녀(경재, 근재, 현주)를 혼자 키우고 있었는데, 전쟁 와중에 이흡의 자식들도 모두 실종되었다고 한다.[10]

이흡에게는 평생의 벗이 있었는데, 그가 바로 소설가 이무영이다. 동향이자 동문이었고 서울에 올라와 문단 활동할 때도 늘 함께였으며, 경기도 군포로 이사할 때도 같이 따라간 사이였다. 훗날 이무영은 이흡과 갈라서게 된 이유와 당시 그의 행적을 이렇게 밝힌 바 있다.

> 그 너와 나 사이에 틈이 벌기 시작한 것이 건준(建準) 때부터다. 너는 좌익(左翼)이었다. 나는 그것이 싫었다. 너는 찬탁(贊託)을 했고 나는 반탁(反託)을 주

---

10 서범석, 「이흡의 생애와 시세계 고찰」, 『대진논총』 제2집(1994) 참조.

장(主張)했다. 너는 삼일절(三一節)에도 남산(南山)에를 갔었고 나는 서울 운동장(運動場)으로 갔다. 너는 그 미워하던 송영(宋影)과 임화(林和)와 가까워졌었고 나는 그러한 너를 미워했었다. 그래서 나는 너를 때렸었다. 지금 소공동(小公洞) 옛날 삼성당서점(三省堂書店) 이층(二層)에서였다. 나는 너를 죽어라 하고 팼었다. 너도 나를 때렸더니라. 그리고 둘은 얼싸안고 울어 버렸더니라. 그러나 너는 역시(亦是) 좌익(左翼)이었고 공산당(共産黨)의 위폐사건(僞幣事件)을 모략이라 했고 몽양(夢陽)을 숭배(崇拜)했고 하—지 중장(中將)을 반동(反動)이라 했고…… 그래서 너와 나는 반목(反目)하기 시작(始作)했었더니라. 너는 너 자신(自身)뿐이 아니었었다. 너의 오직 하나의 아들이던 경재를 그 애를 써서 입학(入學)시킨 사대(師大)에서 끌어내어 민청(民靑) 심부름을 시켰을 때 나는 또 너와 싸웠고 너의 부자(父子)를 때렸더니라. 역시(亦是) 소공동(小公洞) 그 집 이층(二層)에서였다. 그러나 그러면서도 우리는 육·이오(六·二五)까지 우정(友情)을 연명(延命)해 왔었다. 육·이오(六·二五)가 터지자 너는 일선(一線)에 나섰고 외아들은 제1차(第一次) 의용군(義勇軍)에 내어 보냄으로써 만(滿) 45년간(四十五年間) 한 분(分)의 틈도 없던 너의 나와의 우정(友情)은 완전(完全)히 끊어지고 말았더니라.

— 이무영, 「흡(洽)아, 돌아오라」, 『방송』(2-7) 통10호, 1957. 7. 25.[11]

---

11 근대서지학회 편, 『근대서지』 7호(소명출판, 2013.7) 409~411쪽에서 재인용함.

이무영의 윗글에 따르면, 이흡, 이무영 두 사람은 전쟁 직전까지 만난 것으로 파악된다. 앞의 전주교도소에서의 총살형은 이무영의 진술과 전혀 다르다. 이흡이 자신의 아들 경재를 의용군에 보낸 것에서 우정을 끊게 되었다고 이무영은 말한다. 이무영의 진술이 구체적일 뿐만 아니라 이흡과의 우정을 생각할 때 사실에 더 가깝지 않을까 싶지만, 그래도 여러 의문이 남는다. 전쟁이 일어난 1950년으로부터 7년 뒤의 진술인데, 이무영이 갖고 있는 기억의 오류와 변형 그리고 의도적인 왜곡이 있을 가능성 때문이다. 아무튼 전쟁기의 이흡에 관해서 알 수 있는 자료는 극히 적다.

과연 이흡이 전주교도소에서 일어난 집단학살에 휘말려 목숨을 잃었는지, 아니면 살아서 전쟁 이후까지 활동했는지 두 가지 모두 미궁이며, 생사조차 알 수 없다.

이무영 (1908~1960, 음성)

1939년부터 1945년까지 일본어로 창작한 작품 수로 볼 때, 이석훈이 29편으로 1위, 19편을 쓴 정인택이 2위, 14편을 쓴 이무영은 3위다. 주요 문학상을 수상한 이들은 '지방화된 반도 문학'의 대표작가였다. 이무영은 총력전 체제에 부합하는 농민소설을 발표, 1943년 3월에 조선예술상을 받았다.

해방 후 친일 경력에 부담을 느껴 침묵했던 이무영은 1948년 8월, 대한민국 정부수립을 기회로 다시 창작을 본격화했다. 같은 해 11월, 〈국민일보〉에 연재한 장편소설 『3년』은 이승만 정부의 이념과 정책에 완전히 부합하는 반공 이념을 구체적 형상으로 재현하였다.[12]

일제말부터 해방기에 이르기까지 이무영의 이념적 선택은 분명했다. 조선총독부의 정책을 창작으로 구현했고, 이승만 정부의 국가 이념에 누구보다 충실했다. 이무영의 문학은 언제나 자신의 정치적·경제적 이해에 따른 부속물과도 같았다. 자신의 신체와 생활을 보존하는 것이라면, 어떤 이념이든 선택했고, 누구도 적대할 수 있었다. 태평양전쟁과 한국전쟁, 두 전쟁에서도 이무영은 망설이지 않고 누구보다도 적극적으로 적대행위에 가담하며 종군했다. 전쟁이 일어났을 때, 이석훈은 해군에 입대하여 정훈장교로 복무하다 전쟁 중 실종되었으며, 정인택은 문학가동맹에 가입했던 전력으로 보도연맹에 가입, 전향을 맹세하기까지 했으나 결국 월북 후에 사망했다.

이무영은 전쟁이 일어나자 곧 해군 소령으로 입대해 해군의 정훈교육을 담당하였고, 10월 문총구국대 기획위원을 맡았다. 51년 해군 진해통제부 정훈실장으로 승진하였고, 52년 충무공 동상제작을 지휘하였다. 53년 2월 대령으로 진급하면서 해군 정훈감에 취임하였고, 숙명여

---

1 2   서승희, 「국민문학 작가의 해방 이후 글쓰기 전략 연구」, 『한민족문화연구』 제43집(2013) 251~282쪽 참조.

대 문리대 강사로 출강하였다. 전후 이무영은 국방부 정훈국장에 임명되었고, 55년 해군 대령으로 예편하였다.

그에게 문학은 생존을 위한 가장 훌륭한 도구였다. 평생의 벗이었다는 이흡의 운명과는 매우 대조적인 삶이었다. 60년 심장마비로 사망하기까지 이무영은 친일 작가라는 탈을 벗고, 반공 작가라는 새로운 탈을 쓰는 데 성공했다.

조중흡 (1908~1985, 진천)

벽암 조중흡은 일본 유학을 떠난 삼촌 조명희가 남겨놓은 책을 읽으며 문학수업을 했다. 1928년 경성제국대학 법문학부를 졸업한 조벽암은 화신상회(화신백화점) 직원으로 일하며, 소설과 시를 썼다. 1934년 구인회에 가담하였으나 문학적 견해의 차이로 이무영과 함께 1년 만에 탈퇴하였다. 1939년부터 1945년 해방되기 전까지 그는 절필하였다.

해방은 그에게 새로운 활동의 장을 제공했다. 45년 9월, 조선프롤레타리아문학동맹 중앙집행위원으로 선임되었고, 건설출판사를 설립하였다. 46년 6월에는 조선문학가동맹 중앙집행위원이 되었다. 48년 시집『지열』(아문각)을 간행하였다. 그는 49년 6월에 남조선인민위원회 대표위원 자격으로 월북하였고, 이후 북조선문학예술총동맹의 기관지『문화전선』을 편집하고, 조선작가동맹의 기관지『조선문학』의 주필을 역임하였다.

1950~53년의 전쟁 기간에 그는 시「싸우는 제주도」,「떼비둘기 날

을 때까지」, 「동궁 앞에서」, 「진격의 노래」, 「영원한 형제」 등을 발표하
였으나, 종군은 하지 않은 것으로 추측된다. 전쟁 후인 1953년 그는 평
양문학대학 초대 부학장으로 선임되었다.[13]

소비에트 러시아에서 적국의 스파이로 몰려 처형당한 포석 조명희,
남과 북에서 모두 고초를 겪은 카프(KAPF)와 조선문학가동맹의 주요 활
동가들, 친일에서 반공으로 변신한 남쪽의 문인들에 비하면 벽암 조중
흡의 생애에서 극적인 면모는 잘 찾아볼 수 없다. 남로당 계열은 아니
었다는 점, 경성제국대대학 출신의 엘리트였다는 것, 프롤레타리아 문
학의 선구자 가운데 한 명인 포석 조명희의 친조카였다는 점 등이 복합
적으로 작용하여 그의 생애를 비교적 평탄하게 유지할 수 있었던 게 아
닌가 싶다.

그러나 전쟁만큼은 누구도 피할 수 없는 상황이었고, 그의 문학에 커
다란 궤적 또는 상흔을 남겼을 것이다. 그의 생애와 문학적 업적에 관해
더 깊은 천착이 요구된다.

김용제 (1909~1994, 음성)

1920~30년대 일본프롤레타리아작가동맹(NAPF)의 촉망받는 전위시
인이던 김용제는 1932년 치안유지법 위반으로 수감되었다. 1936년 3

---

13   김외곤, 「조벽암 문학 연구」, 『호서문화논총』 13호(서원대학교, 1999.2) 217~232쪽 참조.

월, 4년 만에 출옥한 김용제는 7개월 만에 '조선예술좌' 사건으로 다시 피검되고, 1937년 6월에 조선으로 강제추방되었다.

1938년 2월, 김용제는 돌연 일본군 중장 이시와라 간지[石原莞爾]가 만든 '동아연맹'에 가담한다. 11월 친일잡지 〈동양지광〉의 주간이 되어 일본 패망 직전까지 수많은 친일시와 논설을 집필, 발표하였다. 첫 시집인 『아세아시집』(1942년 간행)으로 1943년 조선총독부가 제정한 제1회 국어문예총독상을 수상하였다. 1945년 8월 17일, 일본어로 된 제4시집 『아름다운 조선』(녹기연맹 간행)을 폐기처분하고, 문인보국회 상무이사 자격으로 보국회 재산을 임화, 김남천, 유진오에게 양도하고 잠적한다.

1949년 여름, 반민특위에 소환되어 최재서와 함께 조사받고, 구류 7일 만에 풀려났다. 전쟁이 일어난 당시, 김용제의 행적은 묘연하다. 하지만 1951년, 미 정보기관의 초빙으로 김해에서 서울로 이주, 대공심리전 및 흑색선전의 책임자로 다시 등장했다. 전후, 김용제는 월간 〈새벽〉 편집장과 〈평화신문〉 주간 등을 역임하며 언론 · 출판계에 투신하였다.[14]

1938년의 귀국을 기점으로 그는 자신의 대타자(大他者)를 '만국의 프롤레타리아트'에서 '대일본'으로 바꾸었다. 적을 동지로, 다시 동지를 적으로 바꾼 것에 불과할 뿐 적대 관계는 포기하지 않은 채였다. 김용제

---

14 권순긍, 「지촌 김용제와 친일문학의 논리」, 『광산 구중서 박사 화갑 기념 논문집』(1996) 참조.

문학의 기저는 원한(怨恨)이다. 19세의 나이로 홀로 일본으로 건너가 온
갖 핍박과 고통을 받으며, 들끓는 피의 원한을 쌓았다. 문학은 그에게
딱 맞는 그릇이었다. 그 그릇에 적대와 원한의 검은 피를 담아 자신의
생을 썩게 했다.

박재륜 (1910~2001, 충주)

박재륜은 휘문고보 시절의 스승 가람 이병기를 닮아 조용하고 차분한
시인이었다. 좌우 어디에도 몸담은 바 없이 가계를 꾸려가며 간간이 창
작에 임했다. 김기림의 모더니즘 시풍에도 적잖이 영향을 받았다. 1940
년부터 1959년까지는 쓰지 않았다. 전쟁 와중이던 1951년, 박재륜은
고향 충주에 고등공민학교(농업기술학교의 전신)을 설립하였다.

60년대 발표된 시 「상흔지(傷痕地)에서」에 전쟁으로 허물어진 집터가
나온다. 시는 "전쟁이 지나간 뒤/ 허물어진 집터에 피는 꽃밭은/ 나비나
벌들이 익사하는 심연./ 나는 오늘/ 나의 노래를 생각하고/ 그 속에 간직
했던 너를/ 오늘의 너를/ 다음날 우리 가서 함께 있을/ 그러한 너를 생각
해 본다."[15]로 맺는다. '익사하는 심연'과 '다음날 우리 가서 함께 있을'
이라는 말이 쓸쓸하게 울린다.

---

15 『신한국문학전집 16 시선집 ②』(어문각, 1976) 211쪽.

임창순 (1914~1999, 옥천)

청명 임창순은 옥천 청산 사람이다. 보은 관선재에서 홍치유의 가르침을 받아 한학의 대가가 되었다. 1960년 4·19혁명 당시 교수시위를 주도하였으며, 인혁당 관련으로 옥고를 치르기도 하였다. 후년에 사비를 들여 세운 '지곡서당'은 학계의 수많은 제자를 배출하였다.

한국전쟁 당시 임창순은 대전중학교에서 교편을 잡고 있었다. 부산으로 피난하여 국사편찬위원회 촉탁을 다녔다. 1952년에는 동양의학대학에서 전임강사를 지냈고, 성균관대와 고려대에도 출강하였다.[16] 훗날 임창순은 역사학자 이이화와의 대담에서 전쟁에 관해 이렇게 얘기했다.

이이화 : 6·25 때 느낀 바에 대해서도 좀 말씀해 주시죠.

임창순 : 무엇보다도 많은 사람이 죽었습니다. 전쟁을 당하기 전에 무고한 양민들이 수를 헤아릴 수 없을 만치 많이 죽었어요. 좌익단체에 가입했다가 전향서를 쓰고 나온 사람들의 명부를 작성하고 이들을 보도연맹원이라고 했는데, 전쟁이 나자마자 이들을 색출하여 모두 죽였고, 형무소에 있는 미결·가결의 사상 관계자들은 다 피살되었습니다. 정말 참혹했어요. 전쟁에서 죽은 것은 말할 것도 없고. (…)

---

16 「청명 선생 약력」, 『학의 몸짓으로 높이 멀리』(한길사, 2000)

임창순 : 6 · 25가 나기 이전까지는 그래도 학교를 떠나 현실에서 활동을 하고 싶은 충동을 많이 받았어요. 그런데 6 · 25가 나서 많은 사람이 죽고, 내 주변에서 친형제처럼 왔다갔다 하던 사람 중에서 그렇게 죽은 사람이 많았어요. 그러니까 그만 기운이 다 떨어지고. 성균관대학에 들어온 뒤부터는 이제 무슨 일이 있더라도 입 다물고 있어야겠다고 생각했는데, 성격 때문에 그게 잘 안 되더라고. 재단에 비리가 있어서 문제가 생기면 자꾸 나서게 돼. 재단이사장도 몰아낸 적이 있었지만 한 1년 지나니까 다시 들어오더군.[17)]

죽음, 무고한 양민, 보도연맹, 피살, 사상 관계자, 친형제, 죽음…. 이 백과 두보를 비롯한 '당시(唐詩)'에 누구보다 밝았던 임창순이었지만, 창작자로 나서진 않았다. 아마 전쟁으로 인한 마음의 진통이 글로 담을 수 없을 정도였기 때문이리라. 대신 그는 당대 최고의 문헌 연구자이자 교육자로 남았다.

"전쟁은 인간을 끝맺는다. 왜 전쟁은 끝맺을 수 없는가?"(War stop people. Why people can't stop war?) 적대를 끊지 못하는 이상, 전쟁을 끝맺지는 못한다. 그러지 못하는 이상, 소망과 의지, 욕망과 연민 등과는 무관하게 사람들은 피아(彼我)로 구분될 것이며, 차별 · 적대 · 제거의 메커

---

1 7 「나의 학문 나의 인생-4 · 25교수데모에 앞장선 한학 금석학의 대가, 임창순」(『역사비평』 1992년 여름호)

니즘에 계속 휘말릴 것이다. 일상이 곧 전장(戰場)일 것이다.

정호승 (1916~?, 충주)

『모밀꽃』의 시인 정호승은 『감자꽃』의 권태응과 충주공립보통학교 동문이다. 1935년 서울 종로에서 이무영, 지봉문과 함께 문예지 『조선문학』을 발간하였다. 경영권을 지봉문에게 넘기고 1937년 귀향, 이듬해 결혼하였다. 1939년 시집 『모밀꽃』(조선문학사)을 발간하였다. 그는 해방 전까지 줄곧 충주시 고등계 형사들의 사찰대상이었다. 해방이 되자 정호승은 본격적으로 활동에 나섰다. 46년에는 청주교도소에 6개월간 수감되기까지 했다.

가족을 모두 보은으로 피신시킨 정호승은 이번엔 1948년 남북협상 차 김구를 수행하며 입북하였다. 남쪽으로 돌아온 정호승은 다시 검거되어 1년여 동안 옥고를 치렀다. 여전히 감시대상이었던 그는 연일 도피하였다. 그러다 1950년 6월, 전쟁이 일어났고 충주는 인민군 치하가되었다. 정호승은 충주지역 예술동맹 위원장이 되었다.

9월, 유엔군이 서울을 탈환하자, 정호승은 인민군을 따라 함께 후퇴하기로 마음먹었다. 그러나 아내가 동행을 거절하여 홀로 북행하였다. 1968년 그의 가족은 정보부 요원에게서 그가 북에서 대학교수를 하고 있다는 말을 들었을 뿐, 다른 소식은 없었다.

해방 3년간이나 전쟁기 동안 정호승의 시 또한 발견되지 않았다. 해방 후 정치평론 성향의 『아우성(我友聲)』이라는 동인지를 발간한 적이 있었다는 아우 정구택의 증언 외에는 그 동인지를 포함하여 작품의 실체를 확인할 수 없는 실정이다.[18] 수차례의 투옥이나 남북협상 대열에 가담한 사실 등으로 비추어볼 때, 정호승은 정치활동에 몰입하여 문학에서 멀어져 있었던 듯하다.

오장환 (1918~1951, 보은)

오장환은 1947년 6월, 남조선문화단체총연맹의 문화공작대 파견에 참여하였다. 이듬해인 1948년 지병인 신장병이 악화되어 치료차 이북과 소련의 병원에 입원하였다. 1949년 여름, 평양으로 돌아온 오장환은 『농민』 『문학예술』 『조소친선』 『노동자』 『민주전선』 『청년생활』 등 이북에서 발행된 여러 기관지에 글을 실으며, 매우 활발하게 문필 활동을 재개했다.

1950년 6월 전쟁이 일어나자 오장환은 인민군을 따라 서울에 내려와 김광균 등 문단 활동을 함께 했던 문우들을 만났다. 1951년 5월, 시 「시골길」을 『조선여성』 3호에 발표하고서 얼마 안 있어 병세가 돌이킬 수 없이 악화되어 33세의 나이로 세상을 떠났다.[19]

---

18 조용훈, 『정호승 연구』(계명문화사, 1996) 참조.

19 「오장환 생애 연보」, 『오장환 전집 2 산문』(솔, 2018) 365~366면 참조.

두 갈래 신작로가 합치는 곳에

평편히 늘어선 장거리가 보이고

거리의 초가집들은

소이탄에 타버린 흔적만이 남아 있구나

이곳을 지나는 인민군 전사 한 사람

이마에 땀을 씻으며

고샷길의 우물가를 찾으니

우물가의 처녀는

커다란 함지의 점심 쌀을 씻고 있어라

맑은 물바가지에 가득 떠들고

처녀는 주저하여 하는 말

— 아이 어느 먼길을 가시는지

조금만 참았다 점심이라도 자시었으면 —

씩씩한 전사는 시원한 물 한 모금 달게 마시고

처녀가 가리키는 들을 보았네

훤한 앞들에는 숱한 농민들

톤 짜리 폭탄으로 마구 패어진

밭 가운데 늪들을 메우고 있네

— 임무가 바쁘지만 않았으면 —

전사는 목젖의 침을 삼키고

한참이나 들판을 바라보다가

주머니 속에서 건빵을 꺼내 들더니

우둑우둑 먹어버렸네

웃음을 못 참아 부끄러워 고개 숙인 처녀와

그저 물끄러미 그 처녀 돌아보는 씩씩한 전사

두 사람은 이렇게 헤어졌으나

전방이나 후방이나 그들의 마음은

잊힐 길이 없었네

— 오장환, 「시골길」[20]

---

20 『오장환 전집 1 시』(솔, 2018) 421~422쪽.

정지용을 잇는 최상의 시인 오장환은 1945년 8·15해방을 맞이하면서 선명한 정치적 선택을 하였다. 하지만 그의 시와 인격과 행동은 적대(敵對)를 넘어선다. 새 나라 건설에 관한 과도한 찬양과 낭만이 있을지언정 적(敵)을 특정하여 피로써 보복하거나 잔인하게 응징하자고 주창하지 않았다. 그는 절망할지언정 원한에 묻히지 않았다. 열정을 따르지 못하는 병든 육체를 아쉽게 여겼을 뿐, 마지막까지 시인은 시적 에스프리를 잃지 않았다. 이분법의 정치를 녹여 문학의 재료로 삼은 시인이었다.

권태응 (1918~1951, 충주)

권태응은 탄용리 수양골로 피난 가서도 동시를 썼다. 1950년 7월 4일부터 7월 23일 사이에 쓴 동요·동시를 모아 육필 시집 『산골 마을』(59편)을 엮었다.

비행기가 얄이 떠/ 총을 쏜다 땅땅땅//

동네 사람 겁이 나/ 모두 피란 가는데//

귀머거리 할머니는/ 밭에 혼자 일하네//

아무 소리 안 들리니/ 겁날 것이 없구려[21]

---

21 『권태응 전집』(창비, 2018) 359쪽.

7월 14일에 쓴 「귀머거리 할머니」다. 3연까지 차례대로 전쟁, 피란, 밭일하는 할머니를 그린다. 4연은 귀머거리 할머니가 하는 말이다. 할머니는 누구에게 말할까? 전쟁이 일어나 불안에 떨고 있는 후손들에게다. '이 땅의 아가들'에게 말하는 것이다. 할머니는 평안한 표정으로 무섭지 않다고 걱실걱실한 손으로 쓰담으며 귀한 손주들에게 말하는 것이다. 아무렇지도 않다고, 아무 일도 아니라고, 아무 소리도 아니라고, 곧 지나간다고 말이다.

피란 곳에서 사귄 동무/ 첨으로 서로 만나 사귄 동무//

산 또랑물 가재 잡기 같이 가고/ 뻐꾹 소리 꽃 꺾기 같이 놀고//

피란 곳에서 사귄 동무/ 잠깐 동안 놀다가 헤진 동무//

다시 서로 만나는 날 있을는지/ 쌈 끝나고 조용하면 편지하자[22]

7월 17일에 쓴 「잠깐 사귄 동무」다. 전쟁의 틈바구니에서도 아이들은 서로 친구가 된다. 소란한 세상이 조용해지면 다시 만나자고 약속한다. 벌써 동무가 그립다. 한 편의 시가 이미 사무사(思無邪)다. '피란 곳'이 문학의 자리다. 『산골 마을』 뒷말에서 권태응은 이렇게 말한다.

22　『권태응 전집』363쪽.

무엇 때문에 무엇하려고

이따위 대단치도 않은 작품을

나는 쓰고 있는 것일까?

나도 잘 모르지만

한 가지 병(病)과도 같을 것이다.

보담 값있는 것

보담 높다란 것

보담 아름다운 것

보담 빛나는 것

......23)

  이듬해 겨울, 다시 피난길에 오르다 병세가 악화되어 권태응은 1951
년 3월 28일, 세상을 떴다. '높다랗고, 아름답고, 빛나는' 시를 남겨두
고, '집 선반에서 뜯어낸 널빤지로 짠 관에 덮여' 충주 금릉동 팽고리산
에 묻혔다.

---

23 『권태응 전집』 400쪽.

추식 (1920~1987, 청주)

1944년, 25세의 추식은 충북도청 산림과를 사직하고 극단을 조직하였다. 지원병으로 나간 주인공이 백골 상자로 돌아왔다는 내용의 연극을 상연했으나, 고등계 형사의 감시를 받게 되었다. 극단을 나와 만주에 있는 외삼촌의 농장으로 가 식객 노릇을 하며 희곡을 썼다. 해방 후 청주로 돌아와 방직 공장 등 여러 사업을 벌였으나 모두 실패했다. 1947년부터 1962년까지 추식은 〈독립신문〉〈평화신문〉〈연합신문〉〈동양통신〉 등에서 신문기자 생활을 했다. 전쟁 중이던 1951년에는 만학의 나이로 홍익대학 문학부를 졸업하였다. 추식이 소설가이자 극작가로 문단에 데뷔한 건 1955년의 일이다.[24]

강원도를 떠나 계룡산에 정착한 도천이네 일가의 피난살이 이야기를 그린 「또 하나의 전설」(1956), 전쟁에서 돌아와 적의와 살의로 무장한 사내가 삶의 의욕을 잃고 도회지 뒷골목을 전전하며 정신분열을 겪는 상황을 그린 「인간제대」(1957), 전쟁에서 외아들을 잃고 식구를 모두 집에서 내쫓고 고집스럽게 혼자 지내는 한 노인의 이야기인 「다락 속의 서노인」(1965) 등의 단편소설에서 추식이 겪은 전쟁의 상처를 확인할 수 있다. 전쟁 이후 서민층이 겪는 생활고와 심리불안 상태를 생생하게 그려온 추식은 60년대 중반부터는 드라마 집필에 전념하였다. 1987년 영

---

24 김영애 엮음, 『추식 소설 선집』(현대문학, 2013) 참조.

등포 문래동 자택에서 별세하였다.

이구영 (1920~2006, 제천)

제천의병의 후예인 노촌 이구영은 19세 때인 1939년, 십여 명의 고향 친구들과 함께 월악동지회를 조직, 항일운동을 시작하여 합천독서회, 협동단 등으로 활동 폭을 넓혀갔다. 이구영은 일제 말부터 시인 김상훈, 상민(정기섭)과 막역한 사이였다. 서울의 한 서점에서 소설가 지하련을 만나 여러 문인들과 친교를 맺기도 했다. 해방 직후, 이구영은 합천독서회 동지들과 함께 영등포 일대에서 조직 활동을 했다. 공산당과는 무관하게 벌인 단독 행동이었다.

50년 6월, 전쟁이 일어나고 인민군에 의해 동지들이 석방되어 이구영의 집으로 몰려들었다. 이구영은 명동 중국대사관 근처의 건물(대륙공사)에서 옛 동지 김승원과 함께 요인 거취에 관한 정보를 수집하였다. 그는 조선노동당 중앙위원회의 지도원 신분이었다. 유엔군에 의해 서울이 수복된 1950년 9월 말, 이구영은 인민군을 따라 월북하였다. 강계에 있는 조선인민군 제34호 병원에서 휴전을 맞이하였다. 북에서 남로당 숙청이 있을 때 이구영은 성시백 계열로 인정되어 피해를 입지 않았다.[25]

---

25   심지연, 『역사는 남북을 묻지 않는다 : 노촌 이구영 선생의 80년 이야기』(소나무, 2001) 참조.

1957년 평양의 당 중앙에서 그를 소환했다. 그에게 대남사업 임무를 하달한 것이었다. 1958년 7월, 이구영은 공작선을 타고 서해를 거쳐 군산에 도착했다. 하지만 9월 1일, 그는 부산의 한 여관에서 체포되었다. 임검 나온 형사가 10년 전 고향 제천에서 그를 취조하고 구타했던 이였다. 이구영은 국가보안법 위반으로 무기징역을 선고받았고, 22년 5개월 만인 1980년에 가석방되었다.

이구영은 통일혁명당 사건의 신영복을 대전교도소에서 만났다. 같은 방에 역사학자 심지연도 있었다. 이들과 함께 이구영은 고전을 공부하고 서예를 했다. 이구영은 1984년, 서울 종로구 낙원동에서 〈이문학회(以文學會)〉를 열었다. 매주 목요일, 모인 사람들과 함께 사마천의 『사기(史記)』를 읽었다.

노촌 이구영은 북에 있을 때, 벽초 홍명희를 만난 일이 있다. 벽초와 노촌은 8촌지간이었다.

북에 있으면서 벽초를 두 번인가 만난 적이 있다. 그러나 사석이 아니어서 긴 이야기는 할 수 없었다. 여럿이 있는 자리에서 그는 내 가족의 안부를 묻기도 하고, 얼마나 고생을 했느냐며 나를 위로하기도 했다. 그리고는 '이승만은 나의 불구대천의 원수야'라며 이를 갈았다. 자신의 어머니와 계수, 조카, 심지어는 집에서 일하는 일꾼까지 다 죽였다고 하면서 결코 용서하지 못할 원수라고 말했다. 고향에 계시던 그분의 어머니는 친어머니가 아닌 계모였다. 그럼에도

그분은 계모도 똑같이 어머니로 모셨는데, 이것은 옛날 법도 그대로였다.[26]

1950년 7월 6일, 충북 괴산에서 벽초의 계모 조씨와 계수 김씨 등 벽초 일가가 국방군에 의해 사살된 일을 이야기한 것이다. 이구영은 뭇 시인과 여러 작가의 동지이자 스승이었다. 늘 문학을 벗한 그의 생애는 문학의 굴곡과 크게 다르지 않았다. 그것이 노촌을 문인의 반열에 둔 이유다.

이영순 (1922~1989, 영동)

이영순은 동경제국대학 경제학부를 다니다가 학도병으로 일본군에 입대하여 장교가 되었다. 만주에 배치되었다가 일본의 패망으로 귀국하였다. 미 군정처 군사영어학교 출신으로, 대한민국 국군 창립에 기여하였다. 1947년, 〈서울신문〉에 소설 「육탄(肉彈)」을 발표하면서 문단에 데뷔하였다. 이영순의 청년기는 노촌 이구영의 그것과 정확히 반대되는 궤적을 그린다. 50년 9월, 미8군의 연락장교단장으로서 그는 인천과 원산의 상륙작전에 동행하였다. 51년 9월, 대령이었던 그는 미 극동군 제8240부대(일명 켈로부대) 유격부대장이 되었다. 그 와중에 이영순은 장편시집 『연희고지』(1951)와 제2 장편시집 『지령』을 연이어 발간하며,

---

26 같은 책, 263쪽.

전투와 창작을 병행하였다.

51년 12월, 강원고 양구 전투에서 동생 이상순 중위를 잃었다. 이 사건을 기록한 시 「끝없는 시작」 뒷부분은 "전쟁이 스쳐 간 산하에 다시 또 뜨는 태양/ 어린 나이라 적군들 틈에서 부끄럽지 않게 죽어간 너 상순은 연쇄작용 같은 끝없는 시작일지도 모른다"[27]로 맺는다. 고인에 대한 애도와는 별도로, 이영순의 시는 빈틈없는 무사도(武士道)의 실현이다. 그의 친일 · 친미 · 반공은 하나의 매끄러운 선이자 흠 하나 없는 칼날이다. 되돌리거나 끊어지거나 깨진 바 없다. 견결한 엘리트주의로 무장된 국가주의자로서 후퇴 없는 전진을 삶의 태도로 삼았다. 자기 부정이 존재하지 않는 세계, 고정불변의 권력체 안에서 조직된 그의 시와 소설은 파시즘의 미학적 형식일 뿐, 문학이라고 부를 수 없다.

홍구범 (1923~1950?, 충주)

홍구범은 작품 발표 이전부터 김동리에게서 이미 '장차 조선의 발자크'가 될 것이라는 평가를 받았다. 조연현, 모윤숙 등과 교분이 깊었고, 1946년에는 기자 활동을 하면서 청년문학가협회 회원이 되었다. 1947년 5월에는 잡지 『백민』에 단편 「봄이 오면」을 발표하면서 문단에 데뷔하였다. 1949년, 홍구범은 그해 작가들 가운데 가장 왕성하게 작품을

---

27 『신한국문학전집 16 시선집 ②』(어문각, 1976) 384쪽.

발표하여 화제작 제조기라는 명성도 얻었다.

인민군이 서울을 점령하고 있던 1950년 8월 13일, 홍구범은 서울 혜
화동 로터리에서 검문받다 체포되었다. 홍구범이 문학가동맹의 정치 성
향과 크게 달랐던 청년문학가협회에서 활동했던 점에 의심을 받았을 터
다. 홍구범은 자수하는 글과 문학가동맹 가입서를 보안서에 제출하고
석방되었다. 그러나 5, 6일 후 보안서원들이 다시 홍구범을 데려갔고,
이후 그의 행적은 알 수 없다. 가족과 친구들은 그가 북으로 끌려갔거
나 미아리 등지에서 학살당했을 것으로 추정하고 있다.[28] 이제 싹을 틔
운 문학이 열매도 맺지 못하고 전쟁의 광풍에 휩쓸려 유실되고 말았다.

정은용 (1923~2014, 영동)

영동 노근리 양민학살은 1950년 7월 25일부터 29일까지 닷새에 걸
쳐 일어났다. 7월 20일 인민군에 의해 대전이 함락되고 이어 영동읍 부
근에서 전투가 임박하던 때였다. 7월 23일, 미군이 영동읍 주곡리 마
을로 찾아와 소개령을 내렸다. 주민들은 이웃 산간마을 임계리까지 이
동하였다. 7월 25일 저녁 어스름, 미군들이 다시 임계리로 들어와 후방
안전지대로 피난시켜준다며 집합 명령을 내렸다. 그날 밤 10시, 미군은
주곡리와 임계리 주민 500~600명을 4, 5km 떨어진 하가리까지 데려

---

28 「홍구범 연보」, 『창고 근처 사람들』(푸른사상, 2007) 301~302면

갔다. 다음 날 아침, 미군이 한 명도 보이지 않았다. 주민들은 스스로 대구 방향 국도를 따라 피난했다. 갑자기 어디선가 다시 미군들이 나타나, 길을 막고 철도 위로 올라가라 했다. 주민들은 철도를 따라 400~500m 쯤 걸어서 황간면 노근리에 도착했다.

피난민들이 철로 위에서 쉬고 있을 때 미군 통신병이 어디론가 무전 연락을 취하였다. 얼마 후 경비행기 한 대가 나타나 주민들 위를 몇 바퀴 돌고 갔다. 한참 후 전투기 두 대가 날아와 폭탄을 떨어뜨리고 기총 사격을 했다. 혼비백산한 주민들은 뿔뿔이 흩어져 노근리 앞 쌍굴, 철로 아래 배수로(작은 터널), 철로변 아카시아 숲속으로 숨었다. 미군들이 총을 쏘며 흩어진 생존자들을 모아 큰 쌍굴 안으로 몰아넣었다. 터널 양쪽으로 포위한 미군들은 빽빽하게 모여 있는 주민들을 향해 총을 쏘기 시작했다. 사격은 29일 새벽까지 계속되었다. 쌍굴 안팎에는 수많은 시신들이 쌓였고, 개울물은 핏물로 변했다.[29]

당시 28세였던 정은용은 가족과 함께 임계리까지 왔었다. 경찰에 있었던 그를 염려하여 식구들은 우선 먼저 대구로 피난하라고 재촉했다. 자책감 속에 정은용은 몇 명의 청년들과 대구로 향했다. 남아 있던 가족을 포함한 주민들이 그날 밤 미군들에 의해 하가리로 옮겨졌고, 다음 날, 노근리 철로까지 가게 될 줄은 전혀 몰랐다. 나흘간의 조직적인 학

---

29 박만순, 『기억전쟁–충북지역 민간인학살 진상규명』(예당, 2018) 327쪽 참조.

살이었다. 300여 구의 시신 가운데는 형제처럼 지내던 벗들과 자애로운 마을 어른들, 친척들이 있었고, 그의 다섯 살 아들과 두 살배기 딸이 있었다.

정은용은 인민군과 공산당이 싫었다. 그런데 미군과 미국은 그를 배반했다. 그의 아이들을 살해했다. 그는 용서할 수 없었다. 10년 뒤인 60년 10월, 그는 유족들과 함께 서울 소재 미군 소청사무소에 미국의 사과와 손해배상을 청구했다. 노근리 사건의 진상규명을 위한 첫 시도였다. 그로부터 35년 뒤인 1994년, 정은용은 노근리 사건을 기록한 『그대, 우리의 아픔을 아는가』를 출간하였다.

이 기록을 토대로 작성된 AP통신 기사가 전 세계에 알려졌고, 1999년 한·미 양국이 공동으로 노근리 사건의 진상규명에 착수하였다. 2001년 1월, 미국 대통령 클린턴이 미국 정부의 공식 사과를 담은 성명을 발표하였다. 학살이 일어난 지 50년 만의 사죄였다. 모든 이들이 진실을 알아야 하며, 두 번 다시 과오가 반복되어서는 안 된다는 신념으로 정은용은 글을 썼다. 그 글로 인해 역사의 그늘로 묻힐 뻔한 노근리 학살의 진상이 세상에 드러났다. 문학적 진실의 승리였다.

신동문 (1927~1993, 청주)

신동문은 전도유망한 수영선수였다. 과도한 훈련으로 늑막을 다쳐 학교도 접고, 51년 공군에 자원입대하였다. 신동문은 제주도 비행장의 관제탑에서 근무했다. 기지에서 기상관측용으로 띄워놓은 풍선은 시 「풍선기(風船期)」 연작의 소재가 되었다. 20호까지의 이 연작에는 땅의 검붉은 현실을 하얀 구름과 파란 하늘 속으로 기화(氣化)하는, 공기의 상상력이 도저(到底)하다. 신동문은 전쟁을 쉬이 떨어지지 않는 고질병처럼 느꼈다. 전쟁을 지우고 모두 자유로이 날아오를 날을 가슴에 품었다. 수년간 병원을 전전한 끝에 건강을 회복한 신동문은 고향 청주와 서울을 오가면서 활발히 사회참여를 개시했다. 1963년 4월, 마침내 동인지 『현실』 창간호(육민사)가 출간되었다. 이 창간호에 신동문은 시 두 편을 실었다. 한 편은 「내 노동으로」이며, 아래가 다른 한 편이다.

장미꽃 고운 송이 피나듯이

피어난 화롯불 가에

손을 녹이고 부벼가며

나누는 너와 나의 한담 속에

전쟁은 십년전 옛날 이야기로

되풀이되지만

되풀이되는 추억 속에

한시름 놓는 안심이 있지만

어느 거리

어느 마을

어느 강물 구비에

전쟁이 십년을 자랐으면

어찌할까?

어느 탑 위에

어느 깃발 속이

또 어느 기념관 속에서

전쟁이 십년을 자라난 채

기다리면 어찌할까?

목숨에 박힌

탄편(彈片)도

십년이면 녹슬고

숨이 도는 살이 될지도 모르는데

누구의 마음속에

전쟁이 십년을 자라서

때를 기다리면 어찌할까?

화롯가에 앉아서

나누는 정담 속에

되풀이되는

십년전 옛날의 전쟁이

몇천 년 전의 우화가 되게

차라리 몇천 년이 빨리 가버렸으면

이 고운 불빛 화로 숯불이

루비같이 아름답게도

보일 것인데.

— 신동문, 「전쟁은 10년 전 옛 얘기처럼」[30]

　전쟁에는 정의(正義)가 없다. 부수적 피해, 적법한 폭력, 정의의 전쟁 따위의 개념은 꾸밈말에 불과할 뿐, 전쟁은 자유와 문학을 부정하고, 인간을 부정하고, 생명을 부정한다. 신동문 시인 역시 그렇다는 걸 알아 '전쟁이 십년을 자라서/ 때를 기다리면 어찌할까?' 하고 걱정스레 묻는다. 전쟁이 발발한 지 70년이 흐른 지금, 전쟁은 불가역(不可逆)한 현실이 되었는가? 이분법과 적대와 차별이라는 전쟁의 원인이 오래전에 뿌리뽑혔는가? 전쟁의 시계가 멈추지 않는 한, 화롯불 앞에 모여 정담을 나누면서도 마음속의 깊은 불안과 근심 어린 표정은 지울 수 없을 것이다.

30　신동문, 『신동문 전집』(창비, 2020) 94~95쪽.

민병산 (1928~1988, 청주)

"망가지고 부서진 몸과 마음/ 뒤늦게 끌고 밀고 찾아오는 친구들/ 고개 끄덕이며 맞는 그 편하디편한 눈은/ 아무데서도 볼 수 없게 되었다."[31] 신경림 시인의 「인사동 1」이라는 시다. 시의 부제가 '민병산 선생을 애도하며'다. 시인 천상병과 함께 청구자 민병산은 인사동 터줏대감이었다. 그는 늘 허름한 배낭을 어깨에 걸고 인사동 이곳저곳을 느릿느릿 걸으며 찻집과 기원으로 가 문우들과 하루를 지냈다. 거처는 불광동에 있었다.

50년 6월 전쟁이 일어났을 때, 그는 부친과 함께 피난했다. 부산까지 내려갔다가 밀양이나 대구까지 전전하다가 매우 먼 길을 돌아 간신히 집에 돌아올 수 있었다. 돌아와 보니 할아버지 대부터 모은 3대의 책이 한 권도 남지 않고 몽땅 없어져 버렸다. 훗날 민병산은 서재가 없어진 까닭에 거리를 방황하게 되었다며, 다시 '책을 가진 사람'이 되겠다는 염원을 품게 되었다고 회고했다.[32]

그는 가산을 이어받지 않고 집을 떠나 평생 독신으로 지냈다. 틈틈이 학생 시절에 보던 책을 다시 장만하고, 전기(傳記) 책을 수집하는 게 그의 유일한 사업이었다. 그밖에 생계 삼아 출판사 외탁을 보거나 쪽글을 썼

---

31   민병산 유고집 간행위원회 편, 『철학의 즐거움–민병산 산문집』(신구문화사, 1990) 583쪽.

32   민병산, 「고서(古書) 이삭줍기」(1975), 『철학의 즐거움』 261쪽.

고, 뜻과 취미가 맞는 문우(文友)들을 사귀며 바둑을 두었다.

「감나무송(頌)」(1968)이라는 글에서, 민병산은 피난 시절 이야기 하나를 꺼낸다.

> 6 · 25 때, 충남 금산 땅에 이르러 해가 저물었다. 한 농가의 사립문을 찾아서 하룻밤 유숙을 청했더니, 감나무 밑에다 멍석을 펴주면서 "잎이 무성하니까 이슬에 젖을 염려는 없다"고 했다.
>
> 나무기둥에 기대어 다리를 뻗고 "주인장, 이 감나무 얼마나 달리오?" 하고 물으니까 "열 접 달립니다."는 대답이었다.
>
> "열 접, 이 나무 하나에 열 접이 달린단 말이오?"
>
> "아무렴, 그 정도는 보통이오. 해를 거르는 일은 있어도….."
>
> 나는 깜짝 놀랐다. 열 접이면 천 개라는 말인데, 나는 그때까지 나무 하나에 열매가 그렇게 많이 달릴 줄은 몰랐었다.
>
> 그렇게 대단히 큰 나무도 아니었는데 성적이 무척 좋은 나무였던가 보다.
>
> 50년 여름이니까 어느덧 18년이나 옛날이지만, 그날 밤이 잊혀지지 않는다. 멀리 대포 소리가 울리고 있었으나 우러러보면 밤하늘에 별이 찬란했다. 가벼운 바람이 얼굴을 스치는데, 나뭇잎은 흔들리지 않는 것 같았다.[33]

---

33 민병산, 「감나무頌」(1968), 『철학의 즐거움』 570~571쪽.

감나무 밑에 잠든 맑은 청년 하나가 눈에 선하다. 하늘엔 별이 총총하고 바람은 부드럽다. 청년은 뒤척이면서 잠을 청했을 것이고, 꿈 또한 맑고 깊었을 것이다.

문학의 지역

독일의 문예비평가 발터 벤야민은 역사상 최초로 대량살상무기가 도입된 1차 세계대전을 이야기하면서 전쟁터에서 돌아온 사람들의 침묵에 주목했다.

세계대전을 겪으면서 우리에게 어떤 변화가 생겼고, 이 변화는 그 이후 멈출 줄 모르고 계속되고 있다. 전쟁이 끝났을 때 사람들이 전쟁터에서 말없이 돌아오는 모습을 똑똑히 보지 않았던가? 전달 가능한 경험을 풍부하게 갖고 온 것이 아니라 그럴 경험이 거의 없는 상태로 돌아온 그들을? (…) 아직 마차를 타고 학교에 다니던 그 세대는 맨 하늘 아래, 구름 말고는 아무것도 변치 않고 남겨진 것 하나도 없는 풍경 속에 서 있고, 그 가운데에 파괴적인 흐름

과 폭발의 역장(力場) 속에 왜소하고 부서지기 쉬운 인간의 몸뚱이가 있다.[34]

죽은 이는 말이 없고, 살아 돌아온 이도 말을 잃었다. 삶을 지속해야 하는 이유를 잃은 것이다. 1차 대전은 삶의 목적이나 방향 그리고 의미를 모두 지운 최초의 전쟁이었다. 1900년대 초의 유럽인들 상당수가 체험의 내용이 상실되는 경험을 했다. 육신은 남아 있지만 영혼이 파괴된 것이었다. 2차 대전 후도 마찬가지였다.

일제에서 벗어나자마자 다섯 해 만에 한국전쟁이 일어났다. 특히 한국전쟁은 사상(思想) 전쟁이었다. 생각의 차이가 형제와 자매를 갈라놓았다. 부모와 자식, 친지와 친구, 한 마을 사람들, 부자와 가난한 자, 이웃 마을과 우리 마을 등 모든 일상의 관계를 적대적인 것으로 만들어놓았다. 한반도 전체를 폐허더미로 바꿔놓았다.

관계가 끊겨 아무것도 없는 데에는 문학도 있을 수 없었다. 그저 피난길과 피난처만이 문학의 자리였다. 전쟁 와중에 문학(인)은 실종되고, 사망하고, 멸실되었다. 전쟁의 여파는 오늘까지 지속되고 있다. 사상을 의심, 검열하고 적성(敵性)을 추출, 판별하는 습관이 남과 북의 사람들에게 깊이 스며들었다. 많은 이들이 한국전쟁을 '잊혀진 전쟁'이라고 하나, 사

---

3 4 발터 벤야민, 「이야기꾼: 니콜라이 레스코프의 작품에 대한 고찰」(1936), 『발터 벤야민 선집 9 서사 · 기억 · 비평의 자리』(도서출판 길, 2012) 417쪽.

실 고의적으로라도 '잊고 싶은 전쟁'이었을 것이다.

그러나 잊고 싶다고 해서 없어지진 않는다. 우리는 아직 전쟁을 넘어서지 못했다. 전쟁에 흡수된 문학을 발굴하여 문학의 자리를 보존하고, 적대행위를 넘어서는 문학의 힘을 복원해야 전쟁을 조금씩 넘어설 수 있다. 그 힘은 죽은 이들이 살아 돌아오고, 죽어가는 이들이 살아나게 하는 힘일 것이기 때문이다. 처음으로 되돌릴 순 없어도 전쟁 없는 세상은 만들 수 있다.

'한국전쟁과 지역문학'이라는 주제로 쓰인 이 글에서, 더 염두에 둔 것은 '문학의 지역' 또는 '문학의 자리'였다. 전쟁에서 안전한 곳은 없다. 사람들은 포탄과 총알을 피해 몸을 움직여야만 했다. 전쟁에서 문학의 자리는 '길'일 수밖에 없다. '길'을 자신의 존재근거로 삼는 건 오른편이나 왼편에 고정되는 것보다 훨씬 어려운 일이지만, '길'이야말로 문학의 자리다. 전쟁 상황을 고려한다면, 문학(인)이 걷고 머무는 곳에 주목하는 게 더욱 옳다고 생각한다. 태어난 곳의 풍토와 인맥, 여러 사회문화적 환경에서 자라난 문학(인)이 생성되는 자리가 곧 '문학의 지역'이다. 전쟁기의 충북 문학인들은 수없이 옮겨 다니면서 '길'에서 글을 썼다. 그 글들은 참전의 수단이기도 했지만, 대부분 전쟁의 종식을 염원하는 것이었다. 마지막 순간까지 펜을 놓지 않았던 문학의 영령(英靈)들을 기린다.

『임꺽정』의 현재성

'조선 정조'의 의미

1. 『임꺽정』의 창작 동기

시중에 소개된 어떤 근현대문학사를 들추어보더라도, 그 기원이자 시초에 춘원과 육당이 굳건히 자리잡고 있다. 그 자체가 식민화(植民化)의 경험을 증언한다는 점에서 아픈 현실을 드러내는 견결한 의지로 읽힐 수도 있다. 하지만 이들의 자리는 원래 단재와 벽초의 것이다. 이것은 자리싸움이 아니다. 문학을 수단으로 삼아 벌이는 치졸한 권세다툼이 아니기 때문이다. 그런데 한편 이것은 자리싸움이다. 우리 문학의 '살림터'를 결정하는 중대한 영토전쟁이기 때문이다. 자리싸움이 아니면서 자리싸움이다. 단재와 벽초의 문학사상은 근현대문학사에서 줄곧 변방에 위치해 있다. 심각한 불균형이다. 애초에 이들은 배제되거나 상정조차 안 되어 있다. 이렇게 된 역사적 원인은 식민화와 전쟁과 분단이다.

벽초 홍명희의 『임꺽정』은 그 무수한 상찬에도 불구하고 우리 문학사의 크나큰 젖줄로 인지되지 않고 있다. 그리하여 『임꺽정』이 지닌 민중성과 예술성을 후대의 우리 문학인들은 이론적으로도 실천적으로도 물려받지 못하고 있다. 이에 다음과 같은 질문으로 이 글을 시작하고자 한다.

왜 『임꺽정』인가?

이 질문은 두 가지를 묻는다. 첫째, 벽초는 왜 '임꺽정'을 주제로 잡았는가? 둘째, 우리는 왜 『임꺽정』에 주목하는가?

첫 번째 질문과 관련하여, 우리는 벽초가 작가이자 민족운동가라는 점을 주목할 필요가 있다. 벽초는 이 두 신원을 분리하지 않았다. 벽초에게 있어 작품을 창작한다는 것은 민족을 새로 일으켜 주권을 회복하려는 문화 투쟁일 수밖에 없었다. 조선 후기의 사회개혁가인 다산 정약용은 불우국비시야(不憂國非詩也), 즉 나라를 걱정하지 않는다면 시가 아니라고 하였다. 그렇다면, 벽초는 다산을 이렇게 계승한다고 할 수 있다. 불우민비문야(不憂民非文也), 즉 조선 민족의 명운을 근심하지 않는다면, 글이 아니라고 말이다.

20세기 벽두, 조선의 운명이 일본제국주의의 침탈로 파탄지경에 이르렀을 때, 조선의 지식인들은 저마다 투쟁의 대열에 섰다. 벽초, 단재,

심산, 만해가 그들이다. 이들은 일제에 주권을 빼앗긴 조선에 남아 있는 것, 즉 조선의 경제와 정치, 문화와 예술을 보위하고, 그 전체를 관류하는 실체(substance)를 보존, 확장해야 했다. "식민지 시기 내내 민족주의자들은 '민족'을 독립운동의 주체, 신국가 건설의 주체로 설정했다."[1] 그렇다면, 실체란 바로 '민족'이자 '조선적인 것'이다.

단재 신채호는 북경과 상해 등 중국에서 의열단, 다물단 등 무장독립운동단체와 긴밀한 연계를 가지는 한편, 조선의 연원과 경과를 재구축하는 역사 서술에 전념하였다. 심산 김창숙 또한 국내, 국외의 독립운동단체의 재원 마련과 유림계 독립운동에 전력을 다하였다. 만해 한용운 역시 두말할 나위 없는 독립운동가였다. 독립선언서를 기초하고, 신간회를 조직하는 데 앞장섰으며, 불교계 혁신과 청년운동의 조직에 힘쓰는 한편, 『님의 침묵』 등 민족정신을 고취하는 문학작품과 논설을 다수 집필하고 강연하였다. 국권을 잃어 자결한 부친의 유지를 받든 벽초 홍명희 또한 국내 독립운동의 기지가 될 신간회 결성을 주도하였고, 같은 시기 장편 『임꺽정』을 연재하여 식민지 조선 민중들이 마음의 근간을 잃지 않도록 애썼다.

벽초가 『임꺽정』으로 이루고자 한 것은 무엇보다도 '뿌리의 환기(喚起)'였으리라. 뿌리를 잃고 또 잊어가는 조선 민중들이 다시 마음을 일으키

---

1 박찬승, 「한국에서의 '민족' 개념의 형성」, 『개념과 소통-창간호』(2008. 6) 116쪽.

고 몸을 세우길 벽초는 바랐다. 뿌리란 무엇인가? 그것은 마음의 뿌리, 영혼의 뿌리다. 마음대로 살 수 없고 몸 둘 데 없는 조선의 사람들이 다시 땅에, 피붙이에게, 이웃에게 뿌리내리고 살아내길 간절히 바랐던 것이다. 그건 사람이란 이름으로 사람답게 사는 법과 같아서, 싸워야 할 때 싸우고 지켜야 할 때 지키고 한편 피해야 할 때 지혜롭게 피하고 달아날 때 안전히 달아나며, 어디든 가서 삶의 거처를 이루며 맥이 끊기지 않도록, 곱고 순한 조선의 마음을 다시 꽃피우도록, 정성을 다해 애쓰고 서로 정을 잃지 않도록 간절한 마음 하나로 『임꺽정』을 썼을 것이다.

소설 『임꺽정』의 시대는 조선 명종 때다. 당시의 조선 경제는 토지 중심의 농업을 근간으로 삼았고, 그 기본계급은 지주[兩班]와 농민[平民]이었다. 그런데 벽초는 중세 조선의 기본계급인 '농민'을 중심에 놓는 소설을 구상하지 않았다. 『조선왕조실록』과 같은 사실 기록에 따르면 임꺽정은 백정(白丁)이었다. 이들은 사농공상(士農工商)에 속하지 않는 천민(賤民)이었다. 다시 말해서 벽초는 『임꺽정』을 '농민' 소설로 쓰지 않았다. 그것은 무엇을 뜻하는 것일까? 백정은 중세 조선 사회에서 가장 밑바닥층에 처하였는데, 신분 권력에 의해 언제든지 일상적으로 자신의 생산물과 삶의 근거지를, 나아가 목숨마저 손쉽게 박탈당하는 이들이었다. 이들의 처지는 어떤 이들의 처지와 비슷할까? 바로 식민지 조선 민중의 처지와 그대로 닮아 있는 것이다. 일제의 정치적 폭압과 경제적 수탈, 문화적 회유에 식민지 조선의 민중은 마음을 잃고 몸을 잃으며 삶을 잃어

가고 있었다. 그러므로 소설 『임꺽정』의 중추를 이루는 백정 일가를 비롯하여 화전민과 노비와 하인과 유민(流民)들의 이야기는 1920~30년대의 민중이 겪는 식민지적 삶의 알레고리로 금세 환치할 수 있는 훌륭한 모티프인 셈이다. 2) 이와 같은 이유에서, 우리는 벽초가 왜 '임꺽정'을 주제로 삼았는지 능히 짐작할 수 있다.

한편, 소설 『임꺽정』의 중심인물들은 갖가지 고초를 겪는 와중에도 일체의 꾸밈이 없다. 옆에 늘 형제와 이웃과 동지가 있어 함께 웃고 울며 서로 보듬고 대신 나선다. 벽초는 이 '꾸밈없음'을 정감 어린 필치로 소설 곳곳 전시함으로써 일제에 강점되어 온갖 고초를 겪는 식민지 조선 민중들의 심사를 어루만지고 사람들이 다시 삶의 의지를 회복되고 확장하기를 기대한 것이다. 무릇 기대란 희망에 찬 믿음에서 비롯되는 마음일 것이다. 그러한 기대의 완결은 조선의 독립일 것이니, 독립을 실현할 힘은 오직 민중에 있음을 벽초는 이미 알았다. 『임꺽정』을 집필하

---

2   이런 측면에서 『임꺽정』을, 이른바 '민족적 알레고리(national allegory)'라고 볼 수도 있다. 이 개념을 창안한 프레드릭 제임슨에 따르면, 대체로 식민지 상황에 놓인 제3세계의 문학들은 "겉으로 볼 때 사적이고 리비도적인 역학이 투여되는 텍스트들조차 필연적으로 민족적 알레고리의 형식으로 정치적 차원을 투사하며 (…) 개인 운명의 이야기가 항상 공적인 제3세계 문화와 사회의 전투적 상황의 알레고리"라고 주장한다. 제임슨은 민족적 알레고리의 전형적 사례로, 루쉰의 「광인일기」와 「아Q정전」을 제시한다. Fredric Jameson, "Third-World Literature in the Era of Multinational Capitalism", *Social Text*, No. 15(Autumn, 1986) pp.65-88. 한편, 제임슨의 '민족적 알레고리' 개념으로 『임꺽정』을 분석한 논문으로, 김승환의 「홍명희의 창작방법으로서의 민족적 알레고리」(『한국현대문학연구』 27호(2009.4) 145~167쪽)가 있다.

던 즈음, 벽초는 「술회(述懷)」[3]라는 한시에서 그 마음을 이렇게 표현한 일이 있다.

吾歸踐故土 내 돌아와 고국 땅을 밟았을 때

世急好轉機 세상은 급히 호전되는 조짐 있었지

人心識歸趣 인심은 귀추를 알고

天良動庶黎 양심이 백성을 움직였어라

呼聲震穹旲 만세 소리 하늘을 뒤흔들어

日星黤收輝 해와 별도 캄캄 빛을 잃었지

衆皆得無畏 민중은 모두 두려움을 모르고

刦禍受不辭 화를 당할 것도 사양하지 않으니

吾雖非佛陀 내 비록 부처는 아닐지라도

入獄不遲疑 감옥 갈 것을 주저하지 않았노라[4]

벽초는 일제의 총칼에도 두려움 없이, 거리낌 없이 맨몸으로 싸우는 민중을 바로 눈앞에서 보았다. 태극기를 흔들며 함께 어깨 겯고 큰소리로 '조선독립'을 외치면서 벽초는 온몸 온 마음으로 민중의 힘을 느꼈을

3   1934년 7월, 잡지〈삼천리〉에 실림.
4   강영주, 『벽초 홍명희 연구』(창작과비평사, 1999) 137쪽에서 재인용함.

것이다. 1919년 3월, 괴산 장터에서의 대규모 만세시위는 벽초 홍명희의 삶과 투쟁을 오로지 민중의, 민중에 의한, 민중을 위한 것으로 돌려놓게 하였을 것이다.

그러므로 벽초의 민족운동은 곧 조선의 민중운동과 다르지 않으며, 벽초의 민족관 또한 민중성에 기반할 것이다. 『임꺽정』에 나타난 벽초의 '민족'은 민족국가를 구성하는 언어와 영토와 혈통에 기반한 민족 개념과는 다른데, 이들은 곧 민중이어서 자치공동체에서 함께 생활하는 주민이자 억압과 강탈에 맞서는 싸움꾼들의 두레와 같기 때문이다. 벽초의 민족 개념에는 국가주의의 흔적을 찾을 수 없다. 오히려 자본주의적 근대를 넘어선 탈근대성이나 식민주의를 극복하는 탈식민성이 느껴진다. 벽초의 민족 개념은 알제리 민족해방투쟁에 뛰어들었던 프란츠 파농(1925~1961)의 그것에 가깝다. 파농이 말하는 '민족'은 '생활과 투쟁의 민중'이었기 때문이다.[5] 더 나아가면, 1994년 1월, 북미자유무역협

---

5   1959년 로마에서 열린 〈제2차 흑인예술가·문학가 회의〉에서, 프란츠 파농은 「민족문화와 자유를 위한 투쟁의 상호적 토대」(약칭 민족문화론)라는 연설을 하였는데, 그중 아래와 같은 언급이 있다. "전투의 단계가 오면 지금까지 속에서 민중과 더불어 자신을 매몰시켜 버리려고 노력한 식민지 지식인은 이젠 반대로 민중을 뒤흔들어 일깨운다. 민중의 무기력한 혼수상태를 이용하여 특전을 받으려 하지 않고 스스로를 민중의 각성자로 돌려세운다. 여기에서 투쟁의 문학, 혁명의 문학, 민족문학이 나타난다. 이 단계에 이르면 그때까지 문학작품을 만든다는 것은 상상도 해 본 일이 없는 많은 남녀가 감옥과 게릴라 활동, 처형의 전야 등의 특이한 환경에 처하여 그들의 민족을 향하여 말하고, 민중의 가슴을 표현할 문구를 창작하고, 태동하기 시작한 새로운 현실을 대변해야 할 필요를 느끼게 되는 것이다." - 프란츠 파농(박종렬 옮김), 『대지의 저주받은 자들』(광민사, 1979) 179쪽.

정[NAFTA]에 반발해 일어난 멕시코 사파티스타(Zapatista)의 '민족' 개념6)과도 유사하다 할 것이다. 이렇듯 『임꺽정』이 지닌 독특한 질감(質感)과 형상(形象)은, 읽을 때마다 그만큼 특별한 현재성을 늘 새롭게 분출한다. 우리가 『임꺽정』에 주목하는 이유가 바로 여기에 있다.

『임꺽정』의 창작 동기

「자서전」에 의하면, 홍명희는 열한 살 적부터 소설에 입문하였다. 『삼국지』·『동주열국지』·『서한연의(西漢演義)』·『수호지』·『서유기』는 물론이고, 요즘 같으면 19금 도서로 분류될 『금병매』까지 읽었다. 이 거질(巨帙)의 소설들을 3, 4년 내에 모두 독파하고, 서울로 유학 온 15세 무렵이나 동경으로 유학 간 18세 때에도 홍명희의 손에는 늘 소설이 잡혀 있었다. 동경에서의 독서는 대개 문예서였고, "육적(肉的) 사상 중독과 신경쇠약"7)을 초래할 정도였다. 홍명희는 나쓰메 소세키, 일본 자연주의 문학, 도스토예프스키, 러시아 문학, 발자크, 프랑스 문학에 이르

---

6 "우리가 민족에 대해 말할 때 우리는 역사에 대해, 즉 민중의 한 집단을 다른 집단들로부터 밀어지게 함이 없이 우리를 형제로 만드는 공동적 투쟁의 역사에 대해 말하고 있는 것이다."(「사빠띠스따 제4차 선언문」에서) - 해리 클리버, 『사빠띠스따』(갈무리, 1998) 401쪽에서 재인용함.
7 홍명희, 「자서전」(《삼천리》 1·2호, 1929년 6월·9월), 임형택·강영주 편, 『벽초 홍명희와 『임꺽정』의 연구 자료』(사계절, 1996. * 이하, 『벽초 자료』) 131쪽.

기까지 출판 또는 번역되어 나오는 소설들을 빼놓지 않고 섭렵하였다.

홍명희가 '소설'을 쓰기로 작심한 동기는 무엇일까? 그리고 언제부터 소설 창작을 준비하였을까? 도스토예프스키처럼 생활고가 그를 소설 창작의 길로 이끌었던 것일까? 세계문학 전반을 탐독하며 근대 서사의 흐름을 한목에 꿰고 있었던 그였기에, 자신의 손으로 소설을 창작해 보리라는 문학적 야심이 자연스레 생겨났을 것이다. 해방되고 3년 뒤인 1948년, 환갑을 맞이한 벽초는 시인 설정식과의 대담에서 "예술과 사상이 혼연한 일체가 된 작품을 만들기 위하여 한편 예술하며 한편 사상하는 것이 우리 문학가의 임무"[8]라고 말한다. 벽초는 이미 자신을 '문학가'로 자임하였고, "60 평생에 내 남긴 업적이라곤 『임꺽정』밖에 아무 것도 없는 게 사실"[9]이라고도 밝힌다. 벽초가 문학의 길을 걷게 된 결정적인 동기는 알 수 없지만, 당신의 뜻과 감정을 밖으로 표현하는 데 가장 적합한 형식이 '문학'이라는 생각은 초년 시절부터 형성된 것만큼은 분명해 보인다.

여러 사람의 증언에 따르면, 홍명희는 매우 신중한 성격이었다. 아들 홍기문은 "우리 아버지는 용감하게 나아가지는 못하나 날카롭게 보고 굳게 지키는 분"[10]이라고 말하기도 하였다. 행동으로 나아가기 전까지

---

8   「홍명희·설정식 대담기」(《신세대》 23호, 1948년 5월), 『벽초 자료』 222쪽.

9   「홍명희·설의식 대담기」(《새한민보》 1권 8호, 1948년 9월 중순), 『벽초 자료』 209쪽.

10   홍기문, 「아들로서 본 아버지」(《조광》 2권 5호, 1936년 5월), 『벽초 자료』 240쪽.

는 매우 더디지만, 결심하여 실행에 나서면 오래도록 굳건히 밀고 나가는 성격이었던 것이다. 그렇듯 홍명희는 소설의 내용과 형식에 대해서도 오래 생각했을 것이다. "좌우간 내가 임꺽정(林巨正)이라는 인물에 대하여 흥미를 느껴온 지는 오래였"[11]다는 벽초 자신의 증언처럼, 중심인물과 이야기 소재, 제목 등을 신중하게 가려 뽑았을 것이다. 쓰게 될 소설의 형식, 이를테면 스타일이나 문체, 구성, 문장, 서술방식 역시 고심한 것으로 보인다. 『임꺽정』 연재 첫 회의 '머리말씀'에도 "이야기 시초를 어떻게 꺼낼까 두고두고 많이 생각하였"다고 홍명희는 고백한다.

이야기를 쓴다고 선성만 내고 끌어오는 동안에 이야기 머리에 무슨 말을 얹을까, 달리 말하면, 곧 이야기 시초를 어떻게 꺼낼까 두고두고 많이 생각하였습니다. 십여세 아잇적부터 이야기듣기, 소설보기를 좋아하던 것과 삼십지년 할 일이 많은 몸으로 ①고담(古談) 부스러기 가지고 소설 비슷이 써내게 되는 것을 연락을 맺어 생각하고 에라 한번 들떼놓고 인과관계를 의논하여 이야기 머리에 얹으리라 벼르다가 중간에 생각을 돌리어, 그럴 것이 없이 ②문학이란 것을 보는 법이 예와 이제가 다르다고 옛사람이 일신(一身) 정력을 들여 모아 놓은 그 깨끗하고 거룩하던 상아탑이 여지없이 무너지고 그 속에 있던 뮤즈란

---

1 1   홍명희, 「『임거정전(林巨正傳)』에 대하여」(《삼천리》 창간호, 1929년 6월), 『벽초 자료』 34쪽.

귀신의 자취가 간 곳이 없이 사라졌다는 것을 그럴싸하게 꾸며가지고 이야기 시초로 꺼내보리라 맘을 먹었습니다.

　그러나 ③이 생각 저 생각이 모두 신신치 아니한 까닭에 생각을 통이 고치어 숫제 먼저 이야기가 생긴 시대를 약간 설명하여 이것으로 이야기의 제일 첫 머리말씀을 삼으리라 작정하였습니다. (『임꺽정』 1권 「봉단편」 8쪽. * 밑줄은 필자)[12]

　다소 거칠게 말하자면, ①은 '야담의 소설화'일 테고, ②는 괴력난신을 배제한 '근대적 리얼리즘 소설의 형식'일 것이며, ③은 그 둘 모두 마땅치 않아, 일단은 임꺽정 이야기가 생긴 시대의 설명, 즉 '역사 서술의 형식'으로 첫발을 뗀다는 말이다. 예의 첫머리는 "한양 개국한 후에 태조 7년, 정종 2년, 태종 18년, 세종 32년…"으로 시작하여, 성종 때 폐비사건과 연산군과 유자광에 의한 무오사화, 중종반정과 기묘사화, 인종의 승하와 을사사화가 있었다고 '역사 서술' 형식으로 이야기하고는, "이야기의 머리말씀을 한 회에 마치려고 인종, 명종 때 일을 조금 자세히 설명하여야 할 것도 다 못하고 바로 본이야기로 접어들려고 합니다." 며 말을 맺는다.

12　이 글에서 인용되는 『임꺽정』의 쪽수는 모두, 사계절출판사가 발행한 '2008년 개정 4판'의 것이다.

이제 문제는 본이야기이다. 왜냐면, 작가에게 있어 ①의 형식도, ②의 형식도 신신치[13] 못하였기 때문이다. 그렇다면, 본이야기는 ③의 형식, 즉 '역사 서술의 형식'으로 나갔는가? 그렇지 않다. 연재 2회, 즉 본이야기의 첫 문장은 "연산주 때 이장곤이란 이름난 사람이 있었는데, 일찍이 등과하여 홍문관 교리 벼슬을 가지고 있었다."이다. 이후 이장곤의 풍채와 사람됨, 점필재의 제자로써 연산주 아래에서의 근심 등이 이어 진술된다. 어휘나 말투가 예스럽고 문장이 만연한데도(14줄로 된 둘째 단락은 두 문장이다) 매우 잘 읽힌다. 또 벼슬 처음에는 포부가 대단하였으나 점차, 이제는 "하루라도 맘이 편한 날이 없었다"고 단락을 마쳐 이장곤의 처지와 심경이 변해 왔음을 독자에게 전달하면서 심지 굳지 못한 이장곤의 사람됨도 엿보게 하는 2중의 효과를 얻는다. 슬렁슬렁 여유로운 이야기조의 진술이지만, 단 두 단락으로 이장곤 안팎의 전모를 두루 그려낸다.

첫 장면에서부터 드러나는 '신신함', 그 집결이 『임꺽정』이다. 밑줄 ①은 우리 고유의 옛 서사지만, 특히 내용에 있어서 현재성을 담아낼 수 없는 형식이며, ②는 매우 촘촘하고 세련되어 신문명을 전달하고 표현하는 데는 훌륭한 형식이지만 아직 반봉건(反封建)·탈식민(脫植民)의 현실

---

13 '신신치'라는 말을 풀이한다. 앞 단락의 '마땅치'와 동의어로 생각했으나 그렇지 않았다. 사전을 찾아보니, '신신치'는 '신신하지'의 준말이고 '신신(新新)'은 새로울 신(新)자를 두 차례 붙인 말이었다. 뜻은 '아주 신선하다', '새로운 데가 있다'였다. '신신함'을 '신선(新鮮)함'으로 보기도 한다. 더 유력한 뜻은 '신통(新通)하지'다. 그래도 뜻에는 큰 차이가 없다.

을 맛보지 못한 대다수 민중에겐 맞지 않는 이질적인 형식이다. 그러므로 벽초가 고심 끝에 고안한 '신신(新新)한' 형식이란 이런 것이다. 현재성[14]의 감각으로 조선 고유의 아취(雅趣)가 우러나도록 해보는 것, 그것이 『임꺽정』이다. 연암 박지원이 말한 '법고창신(法古創新)'의 전형적인 사례라 할 수 있다.

---

14   현재성(現在性)은 동시대성(同時代性) 또는 당대성(當代性)의 의미에 가깝다. 그러므로 역사 용어로서의 현대성(現代性)이나 근대성(近代性)과는 구별되는 개념이다. 『임꺽정』이 신문에 연재되던 1920~30년대 조선 사회는 민중의 절대다수가 농민이었으며, 정치체제는 제국주의 일본에 주권을 빼앗긴 식민통치체제였고, 경제 제도는 반(半)봉건-반(半)자본 상태였으며, 지식층과 언론·교육·도시문화의 비중이 매우 적었던 상황이었다. 근대적 성격의 문물들이 다량으로 수입·이식되어 와 있되, 전통적인 것과의 섞임 자체가 미약했던 때다. 벽초가 『임꺽정』을 집필하던 당시의 사회 성격에 적합한 것을 '현재성'이란 낱말로 개념화하였다.

2. 『임꺽정』이라는 문학 텍스트

『임꺽정』의 질감

벽초의 『임꺽정』은 '어떤' 감각(感覺)을 일깨운다, '조선의 감각' 또는 '조선인의 감각'이랄까 싶은 것 말이다. 『임꺽정』을 읽으면, 어떤 물성(物性), 물질성(物質性) 같은 것이 느껴진다. 벽초 홍명희는 『임꺽정』으로 점점 희미해져 가는 '조선적인 것'을 재현하려고 했던 것일까? 창조라고 해야 할까? 오직 '문자'에 지식과 체험을 실어 재현 또는 창조한 것은 '무엇'일까? 『임꺽정』이 연재된 시점을 고려하면, 민족·계급의 재구성, 즉 민족·계급의 재결집 또는 재조직을 벽초가 염두에 둔 것이라고 볼 수 있고, 또 일련의 연구자들도 그렇게 언급한다. 민족이라는 '상상된 공동체'

를 구성하는 데 있어 '신문 연재소설'이 막대한 역할을 했음을 입증하는 베네딕트 앤더슨의 주장[15]도 자주 인용된다.

일리가 있다. 하지만 과연 그렇게만 봐야 할까? 작가 홍명희는 '민족'과 '계급', '민족주의'와 '사회주의'라는 이념을 구성하고 '민중'의 자각을 실현할 과업의 중대함을 견지하면서도 이에 병행하여 '함께 존재하는 숱한 생(生)들'을 문학이라는 뜰채로 건져 올리고 싶었던 것이 아닐까? 무엇보다 『임꺽정』은 페이지를 열어 읽는 순간, 독특한 정서적 분위기를 자아낸다. 이를테면 정결함과 구수함, 냄새와 온기, 바람과 공기, 맵시와 맘씨 같은 것 말이다. 무심한 대화처럼 보이지만 사람의 말이 오고가는 둘레에 구름이 흘러가고, 새가 날고, 꽃이 피고, 향기가 날아들고, 잎이 떨어지고, 눈이 오신다. 오가는 말의 질감이 둘레를 자극하고, 또 둘레의 생들이 말의 어조에 묻어 든다. 문학에서 '살아 있음'은 낱낱의 인간을 넘어 감각의 여건과 관계의 조건들, 사물과 풍광의 시간적·공간적 배치 등을 고려하여 잘 조직해야만 실현 가능할 터인데, 『임꺽정』엔 생생한 활기가 가득하다. 언어미학을 구현하는 탁월한 조형능력이 아니고서는 가능하지 못할 일이다. 몇 가지 예를 들어보자.

---

15   베네딕트 앤더슨(서지원 옮김), 『상상된 공동체-민족주의의 기원과 보급에 대한 고찰』(길, 2018) 참조.

(…)

버들채 흐트러진 것을 묶어서 봉당 위에 세우고 아내더러 일어나라고 한 뒤

맷방석을 말아서 처마 밑에 들여놓고 다 만든 동고리를 들고 섰는 아내를 뒤

로 가서 번쩍 안고 아랫방으로 향하는데 안겨 가는 봉단이는

"이게 무슨 짓이세요."

하며 달 아래 그림자를 부끄러워하고 안고 가는 김서방은

"치우자면 이렇게 다 치워야지."

하며 다시 웃음을 시작하였다. (1권 86쪽)

짧은 순간의 한 장면이지만, 이 안에 봉단이와 김서방이 있고, 버들채

와 봉당과 맷방석과 동고리가 있고, 달과 그림자가 있다. 서로 한데 어

울려 살갑기 짝이 없는 두 사람이 있으며, 둘레 사물들은 이들의 정감

(情感)을 무심히 북돋운다. 밑줄은 이 정경교융(情景交融)[16]의 정점이다.

김서방은 봉단이를 만나기 전에는 귀양 간 이교리였다. 아래는 이교

리가 자신의 처지를 비관하여 스스로 목숨을 끊으려고 하는 대목이다.

---

16   "정경교융은 주체와 대상이 하나가 되는 경지를 일컫는다. 여기서 대상은 주로 자연을 의
미하는데, 예술가 내면의 주체는 자연과 같은 외면의 객체와 상관하면서 물아일체(物我一體)의 경
지를 지향한다. 마음의 바깥에 있는 경(景)과 마음에 감응된 정(情)의 교융이야말로, 문학, 미술, 음
악을 포함한 모든 예술의 미학원리라고 할 수 있다."- 김승환, 『인문천문 목요학습 2012-2013 개
념사전』, 충북민예총 문화예술연구소, 239쪽

(…)

"에헴!"

기침 소리가 났다. 이교리가 어린아이와 같이 깜짝 놀라며 겁결에 선뜻 몸을 돌치어서니 윗도리를 벗은 주인집 아이가 한손으로 괴춤을 들고 눈앞에 서 있었다.

이교리는 아이의 얼굴을 물끄러미 내려다보며 턱을 치어들어서 저리 가라는 뜻을 보이었다. 그 아이는 이것을 본체만체하고

"무얼 하러 오시는가 하고 가만가만 뒤를 밟아 왔지라오. 바람을 쏘이시랴거든 저기 나무밑으로 갑시다. 여기는 뙤약볕이 막 내리쪼이니."

말하고 한손으로 이교리의 겉옷자락을 잡았다.

"놓아라."

"갑시다."

"놓고 가자."

"그랩시다."

이리하여 이교리는 그 아이에게 끌리어 그늘진 나무 밑까지 와서 나무등걸에 등을 대고 비슷이 앉았다. (1권 42쪽)

무심한 말들이 표면 위로 오가지만, 그 밑으론 생사 갈림의 시간이 흐른다. 이교리가 자진하려는 낌새를 눈치챈 주인집 아이가 어느새 곁에 와서 태연자약하게 이교리를 말린다. 밑줄에서처럼 이교리를 뒤밟아 온

아이는 말로는 말릴 수 없음을 잘 알아 한 손으론 이교리의 옷자락을 잡고 있다. 아이는 이교리의 언행과 정황으로 그 심사를 꿰뚫고서 잘 헤아린다. 아이의 책임감이 남다르게 크고 작음을 논하기 전에, 사람으로서 차마 그러면 안 된다는 것을 체득하고 있는 아이의 마음과 몸짓을 따라가 보자. 아이는 이교리가 겪는 생의 한순간을 '다시 사는 쪽'으로 옮겨 준 은인이다. 이교리의 "놓아라."란 말 다음에 아이가 한 말은 "갑시다." 인데, 생략된 말은 '놓으면 뛰어내리시려구? 그러지 말고 저기 나무 그늘 아래로'다. 그 마음이 전해져 이교리도 (알았다. 다시 사는 쪽으로 해 볼 테니) "놓고 (나무 아래로) 가자."고 한 것이고 아이도 (헤아려주어 고맙수, 그럼) "그랩시다." 한 것이다.

『임꺽정』 곳곳에는 표면의 말과 행동에 묻어 있는 내면의 마음이, 행간과 문장과 낱말 사이에 자리한 침묵의 여백이, 서로 주고받는 말 가운데 말하지 않아도 알고 서로의 진심을 능히 헤아리는 '계산 아닌 계산'의 역설이 즐비하다. 애쓰지 않아도 읽다보면 젖어들고 어느덧 우리는 그 곁에 쪼그려 앉아 보며 듣고 있다. 『임꺽정』은 독자를 적극적으로 감응(感應)케 하는 텍스트다. 순하고, 울컥하고, 웃고, 낯붉히고, 성내고…, 우리는 조선의 감각과 정서를 몸과 마음으로 흡수한다. 빠져들어 읽다가 문득 깨닫게 된다, 『임꺽정』을 읽으며 우리는 '조선사람'이 된다는 사실을. 조이스의 『율리시스』를 읽으며 '아일랜드사람'이 되듯 말이다. 그러므로 '왜 『임꺽정』에 주목하는가' 하는 질문은 바로 이 감응의 문제, 나아가 정조(情調)의 문제와 연결된다.

조선 정조(朝鮮情調)에 일관된 작품

강영주 교수는 「조선학 운동의 문학적 성과, 『임꺽정』」이라는 논문에서, 1930년대 "정인보, 안재홍, 문일평 등이 역사학 연구를 통해 조선학 운동을 추진해 나갔다면, 같은 시기에 홍명희는 본격적인 학문적 연구에 몰두하는 대신 주로 역사소설 『임꺽정』의 집필을 통해 그에 호응하는 노력을 보여준 것"[17]이라고 평가하였다. 위 논문에는 『임꺽정』에 담긴 '조선 문화'의 면모가 역사학·지리학·민속학의 측면과 언어학·구비문학의 측면에서 다각적으로 정리되어 있다. 홍명희 자신도 『임꺽정』만은 '조선 정조에 일관된 작품'으로 쓰겠다고 공개지면에 밝힌 바 있다.

다만 나는 이 소설을 처음 쓰기 시작할 때에 한 가지 결심한 것이 있지요. 그것은 조선문학이라 하면 예전 것은 거지반 지나문학(支那文學)의 영향을 많이 받아서 사건이나 담기어진 정조(情調)들이 우리와 유리된 점이 많았고, 그리고 최근의 문학은 또 구미문학의 영향을 많이 받아서 양취(洋臭)가 있는 터인

---

17 강영주, 「조선학운동의 문학적 성과, 『임꺽정』」, 『통일시대의 고전 『임꺽정』 연구』(사계절, 2015 * 이하, 『임꺽정 연구』) 285쪽.

데 『임꺽정』만은 사건이나 인물이나 묘사로나 정조로나 모두 남에게서는 옷 한 벌 빌려 입지 않고 순조선 거로 만들려고 하였습니다. '조선 정조(朝鮮情調)에 일관된 작품' 이것이 나의 목표였습니다.[18]

중국 고전소설의 영향을 받은 우리 고전소설도 '우리와 유리된 점'이 있고, 최근 문학은 '양취가 있는 터', 둘 다 지양하여 벽초는 『임꺽정』의 사건, 인물, 묘사, 정조만은 '순(純)조선' 것으로 만들려 한다는 다짐을 분명히 표명한다. 이러한 다짐과 목표는 1928년 12월, 『임꺽정』 연재 1회 '머리말씀'에서 말한 '형식'에 관한 고민과 상통한다.

당시 〈조선일보〉라는 언론 미디어까지 적극적으로 가세된 『임꺽정』의 문학 환경은 매우 풍부하다 할 것이다. 작가의 창작능력과 사명감, 작품의 예술성, 독자의 관심과 애정, 신문매체의 지속적 지원이라는 훌륭한 문학 환경에서 『임꺽정』에 담긴 '조선적인 것'은 특별한 파장을 형성했을 것이며, 특히 그 '정조(情調)'는 독자들의 심중에 더욱 강렬하게 작용하였을 것이다.

정조(情調)는, 감각, 정감, 정서적 분위기, 감응 등과 같은 계열의 낱말로서 기본적으로 이러한 낱말들은 작가 · 작품 · 독자의 적극적 상호관

---

18   홍명희, 「『임거정전(林巨正傳)』을 쓰면서-장편소설과 작가심경」,(〈삼천리〉 제5권 9호, 1933. 9), 『벽초 자료』 39쪽.

계를 전제하고 있다. 독자와 작품 간의 상호작용이 있지 않고서는 '정조'가 형성될 까닭이 없기 때문이다. 작가가 쓴 작품을 독자가 외면하고, 게다가 작품의 유통이 제한되어 있기까지 하다면 그 작품에 매우 훌륭한 '정조'가 내장되어 있더라도 그 정조는 적극적 독자를 만나기 전까지는 '죽은 정조'일 따름이다.

정(情)을 정서(情緒), 조(調)를 율조(律調)라고 할 때, '정조'는 마음의 리듬이다. 작품과 독자와 작가 사이에 오고 가는 마음의 율동이다. 『임꺽정』이라는 큰 이야기 안에 쌓여 있는 이야기 단편들이 읽을 때마다 독자의 마음은 무수히 건드려진다. 건드려진 마음이 몸의 리듬으로 옮아가고, 옆 사람에 옮아간다. 최초의 독자에서 시작된 파장은 원운동을 일으키며 점점 넓어진다. 그렇다. 『임꺽정』은 조선의 심성을 재현하려는 게 아니라, 건드려진 마음의 파장을 기획한 것이다. 문자로 마음과 몸을 일으킨다. 중구삭금(衆口鑠金)이다. 여럿의 입은 쇠를 녹인다. "조선 정조에 일관된 작품"으로써 조선사람을 일으켜 독립을 꿈꾸고 해방을 실행한다. 그것이 『임꺽정』의 본 의도였다.

"예술가란 (…) 정서(affect)의 제시자요, 창안자며, 창조자"[19]라는 말 그대로 벽초 홍명희는 '조선 정조'를 제시, 창안, 창조하였다. 다음은 『임꺽정』이 구현한 '조선 정조'의 예들이다.

---

19   질 들뢰즈 · 펠릭스 가타리, 『철학이란 무엇인가』(현대미학사, 1995) 253쪽.

3. '조선 정조'의 창조

'밥'에 대하여

사위 나리가 서울로 떠나게 될 날도 가깝고 하니 집안 식구가 한자리에 모이어 조석을 같이 먹자고 주장하여 윗방이 조석 먹는 방이 되었는데, 구미 잃은 봉단이가 험한 밥 먹는 것을 사위 나리가 딱하게 여기어서 자기의 입쌀밥을 주고 싶으나 여러 사람 보는 곳에서 유난스러워서 주삼의 아내를 보고

"혼자서 좋은 밥을 먹자니 첫째 염치가 없어. 이 밥 좀 나눠들 자시지."

하고 위만 헐다가 만 밥그릇을 내어주니 주삼의 아내가

"고만두고 더 잡수시오."

하고 권하다가 사위 나리가 정히 고만 먹겠다고 하니까

"네가 먹어라."

하고 봉단을 내주었다.

사위 나리 맘에는 봉단이가

"녜."

하고 받아먹었으면 좋겠는데 봉단이는 남의 맘도 모르고

"아버지 잡수세요."

하고 주삼을 주고 주삼은

"나는 조밥이 좋아. 당신 자시오."

하고 아내를 주니 주삼의 아내는

"아재 자시오."

하고 주팔을 주고 또 주팔은

"나도 조밥이 조아. 너 먹어라."

하고 돌이를 주었다.

입쌀밥 담은 밥그릇이 한차례 식구 앞에 조리를 돌아 돌이에게 간 뒤에 돌이가

"다 싫다면 내나 먹지."

하고 처치하게 되니 사위 나리의 소료와는 틀리었다. (1권 174~175쪽)

연산군의 축출로 신원 회복된 김서방(이장곤)이 '사위 나리'로 대우받게 되고서, 일가 모두 한자리에 모여 아침밥을 먹는 대목이다. 우선 장인과

장모의 처우가 몹시 달라졌다. 양반으로 밝혀진 김서방에겐 '쌀밥'을 주고, 나머진 '조밥'을 먹는다. 하지만 김서방은 부부임에도 서로 신분이 갈려 조밥을 먹는 아내(봉단)에게 '쌀밥'을 먹이고 싶지만, 멋쩍은 일이라 혼자 먹자니 염치없다며 장모에게 쌀밥을 내놓는다. 그런데, 그 쌀밥이 돌고 돈다. 장모는 봉단이에게 권하고, 봉단이는 아버지에게 권하고, 주삼이는 아내에게 권하고, 아내는 주팔에게 권하고, 주팔은 돌이에게 권한다. 돌이 빼고 다 같은 마음이다. '좋은 밥'을 자신이 취하지 않고 아끼는 사람에게 내준다. 주삼의 아내이자 김서방의 장모인 봉단 어머니는 자신이 먹자니 그 역시 염치없다고 생각했을 것이고, 아끼는 딸에게, 지아비에게, 시동생에게 밥을 건넨다. 누가 나서서 '내가 먹겠다' 해도 뭐라고 할 사람은 없을 것이다. 예의 돌이가 그럼 "내가 먹지" 하고 가져다 먹는 걸 나무라는 이 역시 없다.

늘 험한 밥을 먹는 처지여서 좋은 밥 먹는 것 자체가 어색할 것이다. 오래 굶다가 기름진 것을 보고 마구 입에 넣다가는 배탈도 나지 않던가. 이 대목은 오래 굶주려본 이들에게는 더없이 공감될 터라 쓸쓸하고, 한편 눈물겨울 것이다. 이 장면에서 작가의 감정이 치우쳐 서술되는 바 없고, 서로 밥을 건네고 밥을 또 돌리는 이들의 대화나 행위도 무심하게 이루어진다. 그저 그런 장면으로 스쳐 지나갈 만도 한데, 여운이 크고 인상이 짙다. 인간으로 사는 데 '밥'은 소중하다. 좋은 밥을 입에 넣고 싶은 것이 인지상정이나 봉단이네 식구는 그저 무심하다.

쌀밥이 돌고 돌다 돌이가 먹는 것으로 낙착되는 윗 대목은, '사위 나리'의 사정을 진술하는 첫 부분을 제외하곤 모두 대화체로 되어 있다. 등장인물의 말과 행동이 교차 서술되는데, 판소리의 아니리처럼 율조가 있다. 더군다나 무심히 던지는 말들엔 서로를 생각하는 마음의 빛깔이 깃들어 있다. 벽초 자신도 거처를 구하며 곳곳을 전전하기도 했거니와 옮겨간 곳에서 마주친 이웃들의 가난한 살림살이도 눈여겨보았으리라. 궁핍한 사정을 말과 글로 미처 표현하지 못하는 이웃의 처지를 이렇게나마 대변한다. 마음 쓰이면 보이고, 보이면 알며, 알면 더 이상 남의 일이 아니기 때문이다. 지행합일의 일관된 삶을 산 작가로써 많이 고심하며 지어낸 대목일 것이다.

이 대목의 현재성을 고려할 때, 1920~30년대 당시 빈민의 생활상이 연결된다. 역사가 강만길에 따르면, "1930년을 기준으로 하는 경우, 조선인 전체인구 1,969만 명 중 약 80%인 1,556만 명이 농업인구"였으며, "그 가운데 120만 명의 화전민을 제외한 절반 정도가 자기소유를 거의 가지지 못한 농촌빈민" 그리고 "이밖에 10만 명이 넘는 토막민(土幕民)", "그보다 훨씬 더 많은 공사장 막일꾼"이 있었으며, "전체 남자인구의 10%"도 실업상태였다.[20] 조선 민중 대다수가 극심한 생활고를 겪고 있었다. 밥그릇 하나를 두고 벌어지는 이 해프닝은 읽는 이에게 복합적

---

20   강만길, 「서설」, 『일제시대 빈민생활사 연구』(창작사, 1987) 18쪽.

인 감정이 일어나게 한다. 심중에 측은지심(惻隱之心)도 일어났을 것이다.

하지만 작가는 이 대목을 쓸쓸하게만 놓아두지 않는다. 쌀밥이 돌고 도는 소란 뒤에, 김서방, 곧 이장곤이 고을 원에게 쌀 보내달라는 편지를 쓰고, 원이 도집강에게서 쌀을 징발하여 봉단이네로 보낸다.

> 사위 나리가 원의 답장을 뜯어보니 그 사연에 이 쌀은 내가 보내는 것이 아니요, 형의 매품을 도집강에게 추징한 것이라고 하였다. 사위 나리는
>
> "원이 실없는 사람이로군. 도집강은 내가 애자지원을 갖는 사람으로 알았으렷다."
>
> 하고 편지를 주팔에게 보인 뒤에 서로 바라보고 웃었다.
>
> 주삼의 아내는 이것을 알고 몇번이나 시원하다 고소하다 외치고, 또 입쌀밥을 지어서 식구가 돌아앉아 먹을 때에 이 밥은 별달리 맛나다고 떠들었다. (1권 177쪽)

모두 좋다. 함께 먹고, 서로 웃는다. 웃기도 무엇하고 울기도 무엇한 독자의 머쓱한 심사를 어루만져 재차 웃게끔 한다. 마음이 더 아래로 떨어지지 않게 붙들어 준다. 그 붓끝은 얼마나 세심한가.

어느 쪽이 악마인가

『임꺽정』3권 「양반편」은 소윤(小尹) 세력이 주도한 을사사화(1545년)로 시작하여 왜구들이 전남 해남·영암·강진·진도를 습격한 을묘왜변(1555년)까지를 다룬다. 이 「양반편」에 등장하는 양반들은 국가의 행정적·물리적 통치력을 이용하여 막대한 권력과 재물을 사유화하여 인민의 삶을 도탄에 빠뜨렸다. 서로 간에 끊임없이 쟁투가 일어나는 것은 필연적인 일이었고, 거개 쟁투의 결과가 기만과 술수에 의한 옥사(獄事)로 귀결되는 것 또한 불가피한 일이었다. 피비린내 나는 파탄지경을 자초한 통치세력의 안중에 들어있지 않은 것은 당연히 인민이었고, 이들의 생계였다.

홍명희는 양반계급의 위선과 비인간성을 대비시켜, 인간 본연의 순수와 관계의 이상을 사회최하층인 백정과 화전민에게서 찾는다. 「봉단편」과 「피장편」의 주된 얼개가 그러하다. 이를테면, 이장곤의 생각을 빌어 봉단이를 "처녀의 얼굴을 잠깐 보니 달덩이 같은 얼굴이 복성스럽기도 하거니와 태도가 의젓하여 재상가의 딸이나 다름이 없다"(1권 55쪽)고 묘사한다거나, 역시 이장곤이 양주팔을 두고 "주팔이 같은 인물이 천인으로 썩다니, 널리 말하면 국가의 불행이야."(1권 169쪽) 하고 생각하는 대목이 그렇다. 나아가 「피장편」의 말미에 운총이와 천왕동이 남매의 꾸밈없는 짓거리를 두고 병해대사가 "아무 사심 없이 자란 것이 귀하다"

고 말하는 대목은, 『논어』 위정(爲政)편에서 공자가 "시경 삼백 편은 한마디로, 생각에 사특함이 없다(詩三百, 一言以蔽之曰 思無邪)"고 말한 바와 상통한다. 『시경(詩經)』은 춘추시대의 구전민요를 채록하여 분류한 것이거니와 꾸밈없는 인민의 마음과 생활의 실상이 표현되어 유학의 본바탕을 이루는 중요 경전이다. 사람으로서 회복해야 할 바탕에 "꾸밈없음"이 있다는 것을 작가 홍명희는 말한다.[21]

그런데 『임꺽정』에는 가엾게도 악(惡)의 사슬에 얽혀 죽음에 이른, 한 소녀가 있다. 그는 「양반편」 '보복(報復)'장에 나오는 '갑이'다. 갑이의 내력은 알 수 없다. 처음 정순붕 집으로 올 때 열세 살 갑이는 "눈 속에 총명이 가득히 괴어 있"고 "유판서의 부인이 딸같이 여기고 길러놓은 아이종이라 손길이 곱게 자란 표가 드러났다"(3권 134쪽)고만 되어 있을 뿐이다. 훗날 열일곱 갑이가 정순붕을 살해하고 붙잡혀 심문을 받다가 "우리 상전이 나를 친자녀같이 기른 은공"이라고 말한 것으로도 알 수 있듯이, 갑이에게 유인숙 내외는 "상전이요, 부모"(3권 160쪽)다. 갑이는 분노에 차서 "대체 그 늙은 놈이 우리 상전과는 친구로 사귀고 사돈으로 연혼까지 한 놈이 무슨 연혐이 있어서 그렇게 흉악하게 모함을 한단 말이냐? 그놈의 심장은 사람의 심장으로 알 수 없"는(3권 157쪽) 것 아니냐

---

21 벽초는 자신의 서재를 '사무사재(思無邪齋)'라고 했다. - 강영주, 『벽초 홍명희 연구』(창작과비평사, 1999) 205쪽 참조.

고 말한다.

갑이의 '의로움'[義]는 깊은 '어짊'[仁]의 바탕에서 자라났을 것이다. 마치 어리고 거친 꺽정이의 마음을 스승 갖바치가 다정한 어조로 "사람의 뼛속에 사무칠 것 같"(2권 199쪽)이 달래어 사람 구실하게끔 하듯 말이다. 아마도 갑이에게는 그런 어른이 유인숙 내외였으리라. 사람의 말에는 보는 시각과 대하는 태도가 이미 속일 수 없이 배어있으니, 그 '말'에 감응하여 마음을 일으키고 또 마음을 베이는 것이 우리 인간이다. 이미 소견이 갖추어진 갑이에게 이미 정순붕은 '사람의 심장'이 없는 존재로 여겨졌을 것이다.

하지만 열일곱 꽃다운 나이를 생각지 않고 온몸을 던져 원수를 갚은 갑이의 기질 또한 남다르다. "백령백리(百怜百俐)하여 모든 사람에게 미움을 받지 아니하는"(3권 135쪽), 더없이 총명한 소녀가 고운 마음을 접고, 모질고도 모진 마음을 먹어 4년간이나 정순붕의 '수청 자는 것'이 되어서는 복수의 때를 노려 서슴지 않고 살인을 감행한 것은 너무나도 대담하고 극한적이다. 피는 피로 갚고, 악은 악으로 갚는다. 갑이의 심성과 행동은 상상과 통념을 뛰어넘어 비인간(非人間)의 경계에 와 있다. 갑이가 보이는 극한은 『임꺽정』의 어느 인물과도 류(類)가 다르다. 「화적편」에서 꺽정이가 보이는 잔인함과도 차이가 있다.

복수에 나선 갑이의 마음을 살피면, 다음과 같은 분석 결과가 나오지 않을까. 호기심 · 꿈 · 기대와 같은 가치지향적 삶의 우발적 손실에 따른 상실감, 현실세계에 대한 심대한 환멸, 파괴충동, 목표 상실에 대한 두려움, 감정의 극한적 혼란, 자해, 통증의 무자각 상태, 감성적인 것의 손상, 계산적 사고의 강화… 등과 같은.

갑이의 행동 또한 종잡을 수 없다. "성을 내다가 말고 (…) 뱅그래 웃는 것"이며, "새침하게 앉았던 갑이가 홀제 또 빙그레 웃"고, 계놈이에게 "꿇어앉아 빌어라" 하고, "이애 년석이 사내자식인가"(3권 138쪽, 이하 쪽수만 표기) 하더니 갑자기 "계놈이의 뺨을"(139쪽) 치고, "아리땁고 열기 있는 눈이 말로 하지 못할 말까지 말하는 듯"한(140쪽) 눈빛으로 계놈이를 유혹한다. 마침내 "계놈이가 열에 띄어 정신없이 끄는데 (…) 소리는 지르지 아니"한(141쪽) 갑이는 마침내 계놈이를 제 수중에 넣는다. 사실 이 모두가 치밀한 계산에서 나온 행동들이며, 한편 자기 포기다.

정순붕이 사패(賜牌)로 받은 명품 옥잔을 자랑하며 상전 유인숙을 모욕할 때 갑이는 복수심을 숨기려 맞장구치는 대목이 있다. 그때 갑이는 "옛 상전을 들추어 말하게 된 것이 옥잔 까닭이라고 생각하고 그 옥잔을 미워하여 혼자 있는 틈에 방바닥에 메어쳐서 두 조각을"(142~143쪽) 낸다. 자기혐오가 일순(一瞬) 파괴 충동으로 넘어간 것이리라.

하지만 갑이는 곧 정신을 가다듬는다. 옥잔의 행방을 묻는 순붕을 감쪽같이 속이고, 순붕을 죽이기 위해 방자할 수단을 준비한다. 갑이는, 방자에 쓰일 뼈마디를 구해주겠다고 약속한 계놈이에게 "얼굴을 들여다보며 뱅글뱅글 웃기도 하고 (…) 어깨에 입을 대고 옷 위로 자근자근 물기도 하"는(148쪽) 노골적이고 선정적인 행동으로 보답한다. 마음과 행동을 따로 철저히 분리시킨 갑이는 일체 망설임 없이 "산도야지털을 순봉의 배꼽 속에 비비어 박"(150쪽)는다. 두려움도 무서움도 자책도 없다.

작가 홍명희는 어떻게 해서 이런 인물상을 그려낼 수 있었을까? 1937년 7월, 작가 유진오와 가진 문학대담에 홍명희는 러시아 소설 가운데서도 도스토예프스키가 가장 크다는 말을 한 적이 있다.[22] 11년 후인 1948년 5월에도 시인 설정식과의 대담에서 "도스토예프스키의 것으로는 『죄와 벌』과 『백치』가 번역되었는데 참 좋더군. 무슨 별 동기가 있나? (…) 내 기질에 맞으니까 읽었지."[23]라며 재차 도스토예프스키 소설에 관한 끊임없는 애정을 표했다. 식민지 조선의 처지에서 오는 암울함과 더불어, 식민주의를 극복할 방안을 늘 암중모색하던 홍명희는 저절로 '어둡고 음울한' 도스토예프스키에게 끌렸던 것이리라.

사실 '악마'라는 낱말은 홍명희의 이력과 연관되어 있다. 기원을 소급하면, 홍명희가 '악마파' 시인 바이런에 심취했던 일본유학 시절로 올라간다. 1908~09년경, 바이런에 빠져 동문수학하던 이광수에게 읽어보기를 권하고, 급기야 바이런의 장시 「카인」을 따라서 '가인(哥人)'이라는

---

22 홍명희 : "소련서는 톨스토이를 높이 평가한다더구만. 그건 사회적 이론으로 하는 말이고 문학적으로는 도스토예프스키가 톨스토이보다 훨씬 높지. 하여간 그것은 읽고 나면 얼떨떨하거든."(『벽초 자료』, 171쪽)
23 『벽초 자료』, 215쪽.

자호를 짓기까지 했다. 하타노 세츠코 교수는 루쉰의 예를 들어, 홍명희가 바이런의 작품에 심취하게 된 이유를, 다음과 같이 살핀다.

　　홍명희는 바이런을 어떻게 받아들였을까. (…) 그 자신이 바이런에 대해 직접 언급한 것은 없다. 그러나 이광수가 홍명희의 영향 아래 쓴 시 「옥중호걸」이나 일본과 열강에 침식당하고 있던 중국에서 루쉰이 바이런을 수용한 방식, 그리고 홍명희가 20년 후에 쓰기 시작한 『임꺽정』에 그려진 주인공의 인간상으로부터 홍명희가 바이런을 어떻게 받아들였는지 추측할 수 있다. 속박당한 호랑이를 향해 노예가 되느니 반항하다 죽으라고 외치는 「옥중호걸」(이광수), 반항의 행동방식을 관철하고 있던 시인들의 속박되지 않은 혼을 소개하는 「악마파 시의 힘」(루쉰), 백정으로 살다 화적이 되어 세간에 복수하는 주인공을 그린 『임꺽정』, 여기서 공통적인 것은 반역·반항·복수라는 행동이다. 바이런의 악마는 신에 대한 반역과 복수라는 형태로 자기의 자유를 지키고, 카인은 악마는 물론, 신에게도 복종하지 않았음으로써 자기의 존엄을 지켰다. 그러한 카인의 이름을 호로 삼았던 홍명희는 루쉰과 마찬가지로 스스로의 존엄을 위해 싸우는 것을 망각하고 있는 민족의 마음을 흔들어 깨우는 기폭제로서 바이런을 수용했던 것이다.[24]

24　하타노 세츠코, 「옥중의 호걸들-이광수와 홍명희가 토쿄에서 공유한 세계」, 『일본 유학생 작가 연구』(최주한 옮김, 소명출판, 2011), 197쪽.

하타노 교수의 설명에 십분 공감하면서, '악마성'을 띤 극한적 인물상에 관한 벽초의 애착 역시 위와 같은 과정을 통해 자연스럽게 형성되었을 것으로 보인다.

양반지배체제의 구조적 악에 맨몸으로 맞서는 갑이의 모습은 매우 강렬하다. 제국주의 식민체제에 맨몸으로 맞선 의사(義士)들의 형상이 겹쳐 보인다면, 과장일까? 작가는 작중인물 갑이의 곁을 따라다니되, 간섭은 하지 않는 듯이 보인다. 갑이를 그저 펜으로 그려낼 뿐이다. 갑이의 형상은 책의 문자와 독자의 눈 사이, 책장 위에 서 있는 듯하다. 너무 생생하여 실제 살아 있는 사람 같다. 줄곧 마음 졸이게 하던 갑이가 문득, 멈춘다. 만해 시 「알 수 없어요」의 한 구절, "지리한 장마 끝에 서풍에 몰려가는 무서운 검은 구름의 터진 틈으로 언뜻언뜻 보이는 푸른 하늘"처럼 갑이의 마음이 곱고 환하게 나타난 것이다.

(…) "다시 더 말할 것이 없고 영결(永訣)로 한마디 말할 것은 내가 정가의 집에 온 뒤 사 년 동안에 꼭 한번 남의 말을 진정으로 기쁘게 들을 일이 있었다. 그것은 다른 사람의 말이 아니라 네가 골방에서 나와서 나를 보고 속량해 나가서 같이 살자고 말한 것이다. 내가 저생에 가서라도 너의 신세를 갚도록 할 터이니 우리 저생에 가서 만나자."

하고 다정스럽게 말하고 나서

"너 먼저 앞으로 나가거라."

하고 말하여 계놈이가 얼빠진 사람같이 걸어갈 때에 갑이는 그 뒷모양을 바라보며 거짓 없는 눈물을 흘리었다. (3권 156쪽)

원수를 갚기 위해 오랫동안 변색(變色)하여 작은 '악마'로 살아온 갑이가, 마지막 순간에 그토록 모질게 대해도 마냥 좋아해 준 계놈이에게 마음을 열어 보인다. 갑이의 '거짓 없는 눈물'은 깊은 어둠에서 솟은 불씨만 같다. 이 장면 하나로 '보복'장 전체는 잔혹극(殘酷劇)에서 비애극(悲哀劇)으로 변환된다. '보복'장은 시시비비를 분명히 하여 사람으로 해서는 안 될 짓을 단호히 꾸짖는, 시비지심(是非之心)과 수오지심(羞惡之心)의 소설이다.

200자 원고지 300장 정도의 분량인 '보복'장은 자체로 독립된 하나의 소설이다. 야담류 가운데 괴담(怪談) 형식으로 되어 있고, 본 이야기(갑이 이야기) 전에 임백령과 옥매향 이야기로 시작하고, 맨 뒤에는 이기와 정상각 이야기를 두어 후지(後識)로 삼는데, 이것은 한문단편의 형식과 다르지 않다. 달리 보면, '보복'장은 「외투」(고골)의 환상적 리얼리즘이나 「검은 고양이」(포)의 추리기법과도 비슷하다. 웃음이 없으므로 풍자극도 아니다. '갑이 이야기'는 어느 편으로도 기울어지지 않는다. 끔찍한 공포물인데도 페이소스로 가득하다. '보복'장은 흠잡을 데 없는 걸작이며, 자체로 완결된 하나의 작품이다.

잃어버린 시절을 찾아서

「화적편 1」 '청석골' 장(『임꺽정』 7권)의 후반부 줄거리는 이렇다. 서울 나들이를 일삼던 꺽정이가 처를 셋이나 들인 것을 운총이가 알고서 크게 부부싸움을 벌이다가 꺽정이에게 맞아 이마가 터지고 정강이가 부러진다. 누이 운총이가 그 지경이 되자 마음이 엇나간 천왕동이는 꺽정이와 다투게 된다. 하지만 그 일이 군령을 어긴 일이 되어 목숨을 잃은 지경이 된다. 봉학이와 유복이까지 나서서 간신히 위기를 면한다. 꺽정이는 서울 생활을 청산하여 돌아오고, 청석골 산채는 잠시 안정을 되찾는다. 아래는 8권 초입으로, 산채의 아낙네들과 두령 몇이 개성 송악산으로 굿 구경을 가는 대목이다.

황천왕동이가 바위 위를 올라가본다고 갓과 옷을 벗어서 김억석이 아들에게 맡기었다. 황천왕동이는 백손 어머니와 두 남매가 백두산 속에서 자랄 때에 층암절벽에도 다람쥐같이 다니던 사람이라 매로바위쯤 여반장 올라가려니 생각하였더니, 수십년 동안 팔다리를 편히 놀린 까닭에 생각과 달라서 바위 위를 올라오는 데 힘이 들었다. 그러나 올라올 때 힘이 든 만큼 마음이 더 상쾌하였다. 이 세상에 혼자 우뚝 높은 듯도 하고 또 이 세상에 홀로 외로이 남은 듯도 하였다. 편편치 못한 바위 위에 꼿꼿이 서서 휘파람을 획획 불었다. 이것이 남매 같이 산속에서 돌아다닐 때 서로 잃어버리고 서로 찾는 군호로 불던 휘파람이다. 휘파람소리 크기가 여간 피리소리만 못지아니하였다.

매로바위에 사람이 올라간다고 여기저기서 바위를 바라볼 때 청석골 안식구들도 죽 일어나서 바라보았으나 바위가 대왕당에 가려서 보이지 아니하여 다들 다시 앉았는데 휘파람소리가 풍편에 들어왔다. 백손 어머니가 홀제 깜짝 놀라면서

"그게 내 동생이야."

소리를 지르고 벌떡 일어나서 마주 휘파람을 불었다. 휘파람소리가 오고가는 동안에 백손 어머니는 아득한 아잇적 일이 생각에 떠올랐다. 아렴풋한 꿈 자취와 또렷한 환조각이 한데 뒤섞여서 나타나는 듯 사라지고 사라지는 듯 나타나서 정신 놓고 멍하니 서 있는데 다시 들리는 휘파람소리, 동생이 자기를 오라고 부르는 것만 같아서 허둥지둥 신발을 신었다. (8권 63~64쪽)

위 대목은 대화보다는 행동 묘사로 이루어져 있다. 그 가운데 운총이와 천왕동이의 행동이 대비되고, 또 어릴 적과 지금이 대비되고 있다. 과거와 현재, 잃은 것과 남은 것이 대비된다. 그대로 있는 것, 하나가 '휘파람' 이다. 그 소리를 듣자마자 운총이는 벌떡 일어나 마주 '휘파람'을 분다. 잊었던 기억이 살아나 무의식적으로 몸이 먼저 반응한 것이다.[25] 이 대목은 읽는 이에게도 '백두산의 그 날들'을 환기시킨다. 열여덟, 스물한

---

25 『잃어버린 시절을 찾아서』(프루스트) 1권에서, 마들렌을 커피에 적셔 먹다가 '무의지적

살이던 이 남매가 서른다섯, 서른여덟 살이 되어 있다. 꺽정이네와 함께 산 지도 스무 해 가까이 되어 아이도 생기고, 많은 이들과 얽히며, 그 옛날 부모처럼 산중 더 깊은 곳으로 피신 다녀야 하고, 돌아보면 사는 일이 고단하다. 무엇보다 몸만큼 마음을 다친 운총이가 보기 안 되었다. 동생이 부는 휘파람 소리에 몸이 절로 움직여 허위허위 신발을 찾는 운총이의 모습이 안쓰럽다. 아잇적 총기도 사라지고 몸도 맘도 예전 같지 않다.

바위에 올라 먼 데를 보는 천왕동이는 또 무엇을 느꼈을까? 위의 밑줄처럼, 혼자 우뚝 높아 뿌듯하고, 또 홀로 남아 외롭기도 하다. 형제처럼 지내는 두령도 여럿이고 어여쁜 아내도 곁에 있건만, 천왕동이는 이제 마냥 해맑지 않다. 바위 위에 꼿꼿이 선 천왕동이는 시원하면서도 서글펐을 것이다. 지나간 시절이 그리우나 다시 오지 않을 것을 알고, 많은 것이 변하였고, 믿었던 꺽정이도 변하였고 자신도 많이 변하였음을 알았을 것이다.

하지만 곧 아내 옥련이가 송도도사 아들패들에게 봉변을 당하게 될 줄도 모르거니와 환도를 휘둘러 도사 아들놈을 죽이게 될 줄, 꿈에도 몰랐을 것이다. 처참히 피투성이가 된 아내를 어루만지며 천왕동이는 눈물을 흘린다. 눈물은 바위 위에서부터 시작된 것인지도 모른다. 아니, 진

기억'이 일어나 과거로 시간여행을 하는 마르셀이 연상되는 대목이다. 다만, 마르셀은 의자에 앉은 채 '의식'의 변화를 맞이한다면, 운총이는 '휘파람소리'에 먼저 몸이 반응했다는 차이가 있다.

작에 누이 운총이의 다리가 상한 날부터인지도 모른다. 다친 마음을 꾹
꾹 눌러왔었는데, 이날, 이렇게 울게 될 줄 몰랐을 것이다. 천왕동이의
눈물은 청석골패의 운명을 생각하게 하고, 다가올 날들이 어찌 펼쳐질
지 걱정되게 한다. 예사롭게 보아 넘길 대목이 아니다. 이 대목은 입때
껏 이끌어온 이야기와 이들의 살림살이를 묵묵히 되돌아보게 한다. 사
람의 운(運)과 명(命)을, 마치 둠벙처럼 깊고 검은 속을 들여다보게 한다.

문제의 이 대목은 1937년 12월 12일, 4차 연재가 시작되면서 쓰였
다. 벽초는 몸이 아파 1935년 12월 24일 이래 2년간 장기 휴재할 수밖
에 없었다. 그런데, 그 사이에 벽초는 단재가 옥사했다는 소식을 듣는
다. 아나키스트 비밀결사 건으로 검거되어 10년형 선고를 받은 단재가
중국의 뤼순[旅順] 감옥에 복역하다가 1936년 2월, 병사한 것이었다. 소
식을 듣고 벽초가 받았던 충격은 이루 말할 수 없었다.[26] 9월에는, 아
끼던 후배 작가 심훈이 요절하였다. 1924년 동아일보 시절부터 알았고,
벽초를 잘 따랐던 이였다. 1937년 7월에는 중일 전쟁의 발단이 되는 노

26　홍명희, 「곡단재(哭丹齋)」(조선일보, 1936. 2. 28) : "단재가 죽다니, 죽고 사는 것이 어떠한
큰일인데 기별도 미리 안 하고 슬그머니 죽는 법이 있는가. 죽지 못한다. 죽지 못한다. 나만 사람
이라도 단재가 지기(知己)로 허(許)하고 사랑하는 터이니 죽지 못한다 말리면 죽을 리 만무하다. 그
런데 죽다니 무슨 소린고. 세상 사람들이 다 죽었다고 떠들더라도 나는 죽지 않았거니 믿고 싶다.
(…) 살아서 귀신이 되는 사람이 허다한데 단재는 살아서도 사람이고 죽어서도 사람이다. 이러한
사람이 한줌 재가 되다니. 신체는 재가 되더라도 심복(心腹)이야 철석(鐵石)과도 같거든 재가 될 리
있을까. 그 기개(氣槪) 그 학식(學識)을 무슨 불에 태워서 재가 될까. 모두가 거짓말 같고 정말 같지
아니하다. 단재더러 말 한마디 물어보았으면 내 속이 시원하겠다. 간 곳이 멀지 않거든 나의 부르

구교(蘆溝橋) 사건이 벌어졌다.

장기휴재 기간 동안, 벽초에게는 슬픈 일이 많았다. 하나둘, 사람들이 떠나고 세상이 점점 어두운 쪽으로 흘러가고 있었다. 시절이 바뀌고 있었다. 강물처럼 모든 것이 말없이 흘러가고 있었다.

는 소리를 들으라. 단재! 단재!"(『벽초 자료』 51~52쪽)

4. 살아 있는 『임꺽정』

배움의 텍스트

『임꺽정』에 등장하는 사람들의 결손과 결핍, 낙담과 좌절은 작가적 역량의 기복 때문이 아니라 '그들 자신의 운명과 현실의 변동' 때문이라고 짐작하며 읽게 된다. 재차, 삼차, 또 여러 번 『임꺽정』을 읽으면 읽을수록 보이지 않던 인물, 알 수 없던 맥락이 눈에 뜨이고, 벽초 홍명희가 『임꺽정』을 집필한 1928년에서 1940년까지, 그리고 해방 이후와 전쟁 전후, 60년대와 80년대, 21세기 오늘의 사람들과 역사까지 자꾸 겹쳐 읽게 된다. 의도를 가져서가 아니라 오주와 봉학이와 유복이, 운총이와 천왕동이, 갖바치와 꺽정이, 봉단이와 돌이 들에게 이미 마음이 가 있고, 마음이 쓰여서 그런 것이다. 벽초가 구현하고자 한 '조선 정조'란 바로 그런 것이다. 소설 안의 인물들을 동시대 사람들과 겹쳐 읽고 느끼게 하는 것이다.

'조선 정조'란 왕조 조선의 문화적 유물이 아니라, 결국 오랫동안 우리가 간직해 온 어짊과 의로움 그리고 우리 마음의 가장 바탕에 있는 '꾸밈 없음'이다. 지금 이곳의 사람들이 애써 간직하고 있는 그 마음이 곧 '조선 정조'다. 인간 보편의 정서를 '식민지 조선의 실정'에 맞추어 현재화하는 데 벽초는 성공하였다. 시대적 외양이 16세기 조선이지만, 작품 내 현실은 그 세부(細部)에서 20세기 식민지 조선의 민중 정서와 직결되어 있다. 그렇기에 『임꺽정』은 시대를 건너 읽는 이에게 직접적인 감응을 줄 수 있었다. 벽초는 독자에게 마음의 기술을 전한다. 참 조선사람이 되는 마음 씀의 기술이다. 무예를 가르치듯 벽초는 이 심법(心法)을 전수한다. 그러므로 『임꺽정』은 배움의 텍스트이기도 한 것이다.

나아가 『임꺽정』은 가장 핍박받는 이들에게서 어짊과 의로움과 꾸밈 없음이 보존되고, 오히려 핍박하는 이들에게서는 그것이 사라져 찾아볼 수 없는 역설로 일관된다. 식민지 사회는 그 진실을 은폐한다. 제국의 질서를 정당화해야 하기 때문이다. 『임꺽정』은 선악의 구도를 고정시키지 않는다. 오히려 선이 악으로 바뀌고, 악이 선으로 바뀌는, 또 악속의 선이나 선 속의 악으로, 선 그 자체나 악 그 자체 등으로 선과 악의 관계유형을 다채롭게 드러낸다. 결국 독자들은 선과 악의 질서를 일방적으로 규정하는 '사회'를 구조적으로 인지하게 된다.

『임꺽정』을 끝까지 읽다 보면, 전반부와 후반부 사이에 활력의 차이가 확연히 느껴진다. 벽초 자신의 투옥과 신병으로 인한 여러 번의 휴재와 생계의 어려움, 잦은 이사로 인한 창작 여건의 급변과 벗과 동지의 급서, 그리고 무엇보다 전쟁기지로 변해가는 이 땅과, 심각한 적빈지경으로 전락하는 조선사람들…. 이 모든 일들이 작용된 결과일 것이다.

그렇지만 벽초는 호흡을 '새로' 가다듬었을 것이다. 호흡이 달라진 만큼, 전반부의 예술성은, 후반부를 구성하는 예술성과는 다른 차원의 것일 수밖에 없다. 전반부가 '카오스'적이라면, 후반부는 '코스모스'적이라고 할까? 사회활동의 긴장과 열정에다 예술수련의 공력을 더한 산물이 '전반부'의 세 편(봉단편·피장편·양반편)이라면, '후반부'(의형제편과 화적편)는 활동의 침체상황으로 장기전을 모색하면서 길고 깊게 숨을 내쉬고 자세를 견결히 가다듬어 벽초 당신을 포함하여 조선 민중의 삶과 운명을 생각하며 벽돌 쌓듯 하나하나 쌓아나간 것이라고 생각한다.

그러므로 전반부가 상승기의 파토스(pathos)에 의한 것이라면, 후반부는 침체기의 에토스(ethos)에 의한 것으로 보아도 과하지 않을 것이다. 『임꺽정』은 한 편의 다양체(多樣體)다. 여러 연구자에 의해 오래 지적되어온 '불연속성' 역시 전반부와 후반부의 급격한 단절로 이해하기보다는, 창작 환경의 변화와 창작 자세의 일신(一新)에서 비롯된 예술성의 변화과정으로 이해하는 편이 더 적절해 보인다.

『임꺽정』 이후의 『임꺽정』

'조선 정조'를 창안하여 이전엔 없었던 '새로운' 감각을 독자에게 선사한 벽초의 『임꺽정』은 식민지 시절을 건너, 8·15해방 직후에도 널리 읽혔다. 새 조선 건설에 나선 이들에게 『임꺽정』은 민족과 계급의 재구성에 풍성한 영감을 제공했을 것이다. 전쟁과 분단을 거치면서 벽초의 『임꺽정』은 남쪽에서 40년 동안 금서(禁書)였다. 마침내 다시 나타난 『임꺽정』은 80년대 민중운동의 든든한 문학적 자양분이 되었다. 벽초의 의도 이상으로 『임꺽정』의 파장은 더 크고 깊이 널리 퍼져나갔다.

문예비평가 발터 벤야민은 "어떤 문학작품의 경향은, 그것이 문학적으로 올바른 경우에라야만 정치적으로도 올바르다"[27]고 했다. 이 말을 대입하면, 『임꺽정』이 문학적으로 올바르기에 정치적으로도 올바른 것이다. 벤야민은 앞의 말을 부연하며 "그러니까 어떤 작품의 올바른 정치적 경향은, 바로 그것이 문학적 경향을 내포하기 때문에 문학적 질을 내포한다고 말할 수가 있는 것"이라고 설명한다.

다시 대입하면, 『임꺽정』의 올바른 정치적 경향은 문학적 경향과 문학적 질을 내포한다. 즉, 『임꺽정』이 만든 시대적 파장은 『임꺽정』이 지닌 고도의 문학성 때문이다. 벤야민의 언급과 『임꺽정』의 문학성을 결

---

27 발터 벤야민(반성완 옮김), 『발터 벤야민의 문예이론』(민음사, 1984) 254쪽.

합하여 하나의 명제를 도출해 볼 수 있다. 즉, 가장 문학적인 것이 가장 정치적인 것이다.

다시 21세기의 『임꺽정』은 우리에게 어떤 파장을 일으킬까? 『임꺽정』은 언제나 읽는 이의 시대와 겹쳐 읽게 되는 알레고리적 텍스트[28]다. 다시 말해, 『임꺽정』은 여러 층위의 현실적 맥락과 연결되는 한편, 작품 자체가 사유를 요구하는 기호(sign)들을 끊임없이 생산하거니와, 다양한 재해석을 요구하는 의미망을 제공한다. 『임꺽정』은 차이 나는 반복을 요구하는 고전(Canon)이며, 역사적 알레고리를 무한 산출하는 '문학-기계'다.

그렇기에 『임꺽정』을 둘러싼 문학 담론은 더욱 많아질 것이다. 다양한 해석과 다채로운 논의로써 우리 근현대문학의 형성과정에 관한 새로운 문제제기를 기대한다. 이와 관련하여 '문학연구에서 문화연구'로 이동 중인 연구 경향을 담은 『문학사 이후의 문학사』(푸른역사, 2013)를 주목할 만하다. 하지만, 이 책을 포함하여 최근의 문학사 담론에 있어 『임꺽정』은 여전히 '고립된 섬'과 같은 위치에 있다. 신진 연구자들은 『임꺽정』을 '세태소설'(임화)의 패러다임에서 해석하는 데 머물거나 '서양 근대소설의 예술적 성과를 흡수하여 창작된 탁월한 근대적 역사소설'(강

---

28   프레드릭 제임슨의 논지를 빌려 『임꺽정』을 '알레고리'로 파악한 김승환 교수의 주장(주석 2의 논문)에 동의한다. 다만, "이 작품(『임꺽정』)이 조선 표준어 사용을 통하여 상상의 공동체를 넘어 실제의 공동체를 구현함으로써 민족적 정체성을 통한 국민국가(nation state)라는 목표를 의식적으로 표현"한 것이라는 결론에는 동의하기 어렵다. 앞서 언급한 것처럼 작가 홍명희의 목표는 무엇보다 문학적 성취에 있다고 보기 때문이다.

영주)이라는 평가조차 이어받지 않는다. 동아시아 근현대문학의 기원을 논하는 심포지엄과 세미나들에서도 일본의 나쓰메 소세키, 중국의 루쉰에 이어 예외 없이 '이광수'를 배치한다. 소세키와 루쉰이라면, 벽초가 더 어울리지 않을까?

연구자들과 비평가들의 의식적/무의식적 외면과는 별도로, '홍명희와『임꺽정』담론'이 대개 독자층과 현역작가를 중심으로 형성되어 있는 사실은 시사하는 바가 크다. 독자 대중의 독서 취향을 자극하는 '대중 소설'일 뿐이라는 선입견이 연구자들 사이에서 작동되고 있는 건 아닐까? 오히려『임꺽정』은, 찰스 디킨스의 소설들처럼 민중성과 문학성을 동시에 획득한 작품으로 평가해야 할 것이다.

더불어『임꺽정』의 민중성은 탈식민주의적 관점에서 깊이 분석해 볼 필요가 있다. 가야트리 스피박의 '하위주체(subaltern)' 개념[29]을 염두에 둘 때, 다음과 같은 질문을 던져볼 수 있다. 천민(賤民)·토막민(土幕民)·유민(流民) 등 식민지의 최하위계층의 목소리를 재현/대변(representation)하는 작품인가?『임꺽정』의 목표는 재현/대변에 있을까? 정치심리학자 아시스 난디의 '두 번째 식민화' 개념[30]도『임꺽정』의 사회적 파장을 분석하는 데 도움을 줄 수 있다. 난디가 말하는 '첫 번째 식민화'는 제국에

---

29 가야트리 스피박 외(태혜숙 옮김),『서발턴은 말할 수 있는가?-서발턴 개념의 역사에 관한 성찰들』(그린비, 2013) 참조.

30 아시스 난디(이옥순 옮김),『친밀한 적-식민주의 하의 자아 상실과 회복』(창비, 2015) 참조.

의한 물리적 지배를 뜻하며, '두 번째 식민화'는 물리적 지배는 거부하
면서도 제국의 사유체계는 비판 없이 수용하는 식민지 엘리트의 정신
적 혼란과 자기비하를 뜻한다.

벽초가 의도한 "조선 정조에 일관된 작품", 『임꺽정』은 '두 번째 식민
화'를 넘어설 정신적 기반을 마련한다. 『임꺽정』은 우리 문학의 역사에
굳건히 자리하고, 오늘의 창작인들과 연구자들에게 참신한 영감을 주
며, 미래의 독자에게도 계속해서 문학의 힘을 전할 것이다.

덧붙이는 말

글을 맺으며, 한 가지 덧붙이고 싶은 말이 있다.

『임꺽정』이 연재되던 1928년에서 1940년까지 다른 작가에 의해 발
표된 장편소설의 수는 50여 편에 이른다. 김동인의 『젊은 그들』(1930),
최서해의 『호외시대』(1930), 염상섭의 『삼대』(1931), 이기영의 『고향』
(1933), 현진건의 『적도』(1933), 이광수의 『유정』(1933), 강경애의 『인간문
제』(1934), 한용운의 『흑풍』(1935), 심훈의 『상록수』(1935), 한설야의 『황
혼』(1936), 박태원의 『천변풍경』(1936), 채만식의 『탁류』(1937) 등 대강만
추려보아도, 『임꺽정』은 당대의 쟁쟁한 작품들과 어깨를 나란히 했다. 『임
꺽정』은 커다란 문학 공동체 안에서의 작업이었다.

이렇듯 『임꺽정』의 문학사적 지위는 동시대 문학계의 협력 · 갈등 관계를 세밀히 살피는 일, 즉 공시적 관점에서 동시대의 맥락을 함께 파악해야 하는 일에서 시작되어야 할 것이다. 예컨대, 『임꺽정』에 대한 대항마로서, 동아일보는 거의 같은 시점에 이광수의 『단종애사』 연재를 시작했다. 벽초에 맞대응할 수 있는 1급 작가로 이광수를 지정하고, 명종 대의 이야기 『임꺽정』에 세조 대의 『단종애사』를 맞세운 것이다. 독자층 선점을 노려 의도적으로 배치한 기획이었다.[31]

또 다른 예를 들어보자. 한용운, 심훈, 이기영, 한설야, 강경애는 벽초처럼 '사회파' 작가들이다. 그런데 『임꺽정』이 연재되던 때, 이들 작가의 작품들은 공교롭게도 서로 테마가 겹치는 경우가 극히 드물다. 마치 사전에 역할을 분담한 것처럼 보인다. 그것으로 우리는 카프(KAPF) 중심의 작가/시인 네트워크를 인지하게 되며, 작가/시인들 간 커뮤니케이션도 긴밀했음을 짐작하게 된다.

이렇게 출판 · 언론 · 문단 등 당대 문화의 맥락을 살피다 보면, 벽초의 『임꺽정』이 그 당시 문학계에서 어떤 문화적 위상을 갖고 있었는지 더 구체적으로 파악해 보고 싶은 욕구가 인다. 그러자면, 우선 무엇보다 그때의 모든 문학 텍스트들을 손쉽고 편하게 활용할 수 있어야만 한

---

31 『단종애사』의 성공 여부는, 강영주의 『한국 역사소설의 재인식』(창작과비평사, 1991) 51~55쪽을 참조할 것.

다. 요컨대, 시중에서 쉽게 접하고 구할 수 있어야 한다는 말이다. 하지만 사정이 만만치 않다.

우리 현대문학의 기원을 이루는 20~40년대의 문학 텍스트 대부분은, 민영 출판사들이 출간한 여러 형태의 '한국문학전집'에 담겨 보급되고 있다. 전집발간에는 많은 비용, 많은 인력이 필요하므로 80년대까지는 독지가와 기업의 도움 없이는 실현 불가능했다. 90년대부터는 대형 출판사들이 등장하여 큰 자본력으로 전집발간을 주도하였다.

하지만 '전집' 역시 판매수익에 의존할 수밖에 없는 민영 출판물인지라 여러 한계에 봉착할 수밖에 없다. 큰 빚을 떠안고 문을 닫은 출판사마저 생기고, 절판 처리된 전집들도 즐비했다. 그 전집들은 헌책방을 전전해야만 간신히 구할 수 있었고, 아예 구할 수 없는 일도 자주 일어났다. 나아가 애써 출간된 전집들은 선정·편집기준과 교정·교열수준 등 텍스트 확정작업이 발간 주체별로 판이했던 까닭에 어떤 출판물을 정본으로 삼아야 할지 모르는 것과 같이 여러 가지 내부 문제를 안고 있었다. 일반 독자는 물론, 연구자들에게도 소모적인 혼란이 빈번했다. 게다가 당시의 연재소설 모두가 책으로 출간된 것도 아니었다. 작가의 명성과 출간 시점의 유행에 기대어 임의 선택된 텍스트들만이 단행본으로 묶였다.

이 말은 민영 출판사들의 문학사적 공헌을 무시하고 폄훼하려는 것이 아니다. 전집발간에 있어 민영 출판사가 겪을 수밖에 없는 한계를 짚었을 뿐이다. 이 모두, 좀 더 제대로 된 '전집'의 출간을 바라는 마음에서다.

정부수립 후, 문학 텍스트가 국영 출판된 사례는 민족문화추진회의 '고전번역총서'와 국방부의 '진중문고' 외에는 생각나지 않는다. 국가는 문학유산의 공공성을 70년 동안 계속 무시해 왔다. 한때는 문학 텍스트를 두고 체제 질서를 위협, 교란하는 불온출판물로 여기지 않았던가? 오늘의 국가는 일제강점기 시대의 문학 텍스트 일체를 문화기반자원으로 지정하여 보존, 보급할 의무가 있다. 이제는 영국의 펭귄북스나 프랑스의 엔알에프(nrf)총서처럼 공신력 있고, 저렴한 '한국근현대문학총서'가 우리의 손에 꼭 쥐어져야 할 것이다. 내년에 개관하는 국립한국문학관이 '한국근현대문학총서'(보급판) 발간의 적임기관일 것이다. 반드시 총서 발간이 성사되길 기원한다.

수록된 글의 최초 발표지면

디아스포라, 문학에 관한 물음   《작가들 59》 2016년 겨울호, 인천작가회의 발행

사건, 주체, 문학   《작가들 68》 2019년 봄호, 인천작가회의 발행

한국전쟁과 지역문학 – 한국전쟁기의 충북 문학인   2020년 10월, 전국문학인 충북대회 학술세미

나 〈한국전쟁과 지역문학〉 발표문

『임꺽정』의 현재성 – '조선 정조'의 의미   2017년 9월, 제22회 홍명희 문학제 학술강연문

비평선언 2

문학의 극한

ⓒ 소종민, 2021

초판 1쇄 발행 2021년 11월 10일

지은이   소종민
펴낸이   김태형
펴낸곳   청색종이
등록   2015년 4월 23일 제374-2015-000043호
주소   서울시 영등포구 문래동2가 14-15
전화   010-4327-3810
팩스   02-6280-5813
이메일   bluepaperk@gmail.com

ISBN 979-11-89176-70-9   03800

이 도서는 충남문화재단의 2021 예술연구서적 발간지원을 받아 출간되었습니다. 저작권법에 따라 보호받는
저작물이므로 저작권자와 출판사의 허락 없이 복제하거나 다른 용도로 사용할 수 없습니다.

값 15,000원